小学館学習まんがシリーズ

名探偵コナン実験・観察ファイル

サイエンスコナン

SCIENCE CONAN

元素の不思議

原作／青山剛昌　監修／川村康文(東京理科大学教授)

みなさんへ── この本のねらい

コナンと一緒に元素の不思議に Let's Challenge!!

東京理科大学 理学部物理学科 教授 川村康文

みなさ〜ん！ この本を手にとってくれてありがとう!!

みなさんは、「ニホニウム」という言葉を聞いたことがあるかな？ 「ニホニウム」は日本人が発見した、アジア初の新元素だよ。これはとっても画期的なことなんだ。

え？ そもそも元素とは何かって？ 元素とは、物質や生物の素となる小さな粒だよ。そして元素は……ちょっと待った！ どうやら元太くんたちがちょうど、阿笠博士に元素のことを質問しているみたいだよ。元素の正体を解き明かすため、まずは彼らの会話に耳を傾けてみよう!!

名探偵コナン 実験・観察ファイル
サイエンスコナン 元素の不思議

もくじ

みなさんへ―この本のねらい…2
"ねんど"は何からできている？…4
"もの"はみんな元素でできている！…6
私たち"ヒト"も元素からできている！…8
元素の周期表…10
周期表って、どう見ればいいの？…12
元素はもっと細かく分けられる！…16
原子もさらに細かく分けられる！…18
　覚えておこう！"元素"の用語集…22
元素のすべて!!…23
ランタノイド系の周期表…108　アクチノイド系の周期表…138

コラム

錬金術から生まれた近代化学…5／陽子や中性子より、もっと小さな粒《素粒子》…21／水素は水の素！…26／水素と酸素がくっつく時、大きなエネルギーが発生する!!…27／ヘリウムのおかげで気球は飛べる…29／リチウムを使った電池！…31／ホウ酸団子…33／地球の温暖化と二酸化炭素…36／実験！二酸化炭素の温室効果を確認しよう!!…37／植物の生長に必要な肥料の三要素"NPK"！…40／窒素の循環…41／酸素がなければ生きられない…44／実験！石灰水に息を吹き込むと!?…45／フッ素の力で虫歯を撃退！…46／人をひきつける灯り…47／"塩"のつくり方…49／いろいろな金属の鍋…53／さまざまな場所で活躍するケイ素①…56／さまざまな場所で活躍するケイ素②…57／環境汚染"富栄養化"…58／温泉天国ニッポン…59／安全な水道水に欠かせない塩素…62／おもな元素のイオン化傾向…67／カルシウムは骨と歯の素だ…69／暮らしの中の二酸化チタン…72／めっきとステンレス…74／日本刀の切れ味の秘密は「炭素」にあり!!…78／LEDに欠かせない"ガリウムヒ素"…85／銀食器と宝飾品…95／環境汚染の原因"重金属"…96／液晶ディスプレイの必需品…97／ヨウ素のうがい薬…101／夜道を照らすキセノンランプ…103／原子時計と「うるう秒」…105／原子力発電所の放射性廃棄物…106／病気の発見に役立つバリウム…107／白熱電球の実用化の裏に日本の竹あり!!…121／いろいろな「金色」～カラーゴールド…127／水銀がもたらした「水俣病」…129／自動車のバッテリー…132／核燃料のリサイクル…145／天然元素と人工元素…154／なぜ「ニッポニウム」ではなく「ニホニウム」なの？…156／どれだけ重い元素がつくれるか？…159

"ねんど"は何からできている？

阿笠博士、最近、陶芸にはまってるんだって？

うむ。じゃから今日は、みんなに陶芸体験をさせてやろうと思って、ねんどをたくさん用意したぞ。

うへっ。紙ねんどとちがって、何かぬるぬるしててやわらかいぞ。

これは陶芸用のねんどじゃよ。茶碗などの形をつくってから乾かし、最後にかまで焼き上げるのじゃ。

へーっ！ねんどを乾かすと硬い土みたいになるのね。

おいおい、こわさんでくれよ。

乾かすと土みたいになるということは……陶芸用のねんどって、土と水からできているのかしら?

そういえば……前に本で読んだのですが、大昔のギリシアという国の学者が世の中のものは『火・風(空気)・土・水』の四つでできていると言っていたそうですよ。

じゃあ、陶芸用のねんどは土と水で決まりだな!

錬金術から生まれた近代化学

今から2500年ほど前、古代ギリシアでは、この世界の物質は四つの元素(火・風・土・水)から成り立っていると考えられていた。やがて、その四元素から人工的に金をつくろうとする錬金術が生まれ、盛んに実験が行われたよ。その過程でリンなどの元素が発見され、近代化学の基礎を形づくったんだ。

SCIENCE CONAN ● 元素の不思議

5

"もの"はみんな元素でできている！

確かに、古代ギリシアの学者は、世の中のものは『火・風（空気）・土・水』の四つでできていると言ったが、はたして本当にそうじゃろうか？

ものをどんどん小さく分けていって、それ以上は分けられない状態のもの、つまり『ものの素』といえる物質を化学では『元素』と呼ぶのよ。

確かに陶芸用のねんどは、土と水からできておる。じゃがのぉ、その土と水もさらに小さな元素に分けることができるのじゃ。

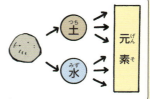

陶芸用ねんどの土のおもな成分は、ケイ素、酸素、アルミニウムという元素よ。そのほかに、土の産地によって異なるけれど、鉄やカリウム、ナトリウム、カルシウムなどの元素が混ざっているの。

一方の水は、水素と酸素という元素からできておるのじゃ。

なあ、みんな。
ここにノートとえんぴつが
あるんだけど、
何からできていると思う?

私、知ってる! ノートは紙でできているのよ。
紙は、木や草からできていて……あれ?
植物は『火・風(空気)・土・水』の中に含まれてないわ!?

えんぴつは、まず木の軸ですね。
これも植物だから、四つの中には
含まれてません……。芯は炭素と
いうものをねんどで固めている
と聞いたことがあります。

あと、木の軸には塗料が塗られているわ。
塗料の原料は化学物質だけど、古代ギリシアの時代に
化学物質が発明されていたとは思えないわね。

うーん……こうしてみると、おれたちの
身のまわりのものは『火・風(空気)・土・水』の
四つからだけでできているわけではなさそうだな。

その通りじゃ!
さきほども言った通り、身のまわりのどんな
ものも、さまざまな元素からできておる。
世の中のものはすべて元素からできておるのじゃ!!

SCIENCE CONAN ● 元素の不思議

私たち"ヒト"も元素からできている！

これまでの話を整理するため、ねんどやえんぴつ、ノートが、どんな元素からできているのかを書き出してみたぞ。

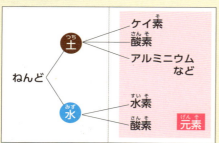

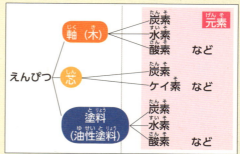

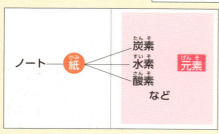

それとな、元素からできているのは
"もの"だけではない。われわれ人間を含む、
すべての生き物も元素からできておるのじゃ。
おぬしらのような子どもだと、からだの約70％が水、
つまり水素と酸素からできておるぞ。

水のほかには、まず骨ね。骨の成分はリン、カルシウム、
炭素と水素と酸素に窒素。
筋肉は炭素、水素、酸素と窒素に硫黄など。
血液は炭素、水素、酸素、窒素、硫黄に鉄など……。

ちょ、ちょっと待てよ。
一度にそんなたくさん言われても、
何が何だか……。

でも……ものもヒトも、素となる元素を見ると、
水素や炭素、酸素が多いようですね。

元素は、宇宙の誕生とともに生まれたもので、
太陽などの天体も元素からできておる。
ちなみに、宇宙で一番多い元素は水素だから、
ヒトのからだに水素が多く含まれておるのは
当然とも言えるのじゃ！

元素がどれだけの種類あるかというと、
現在（※）のところ118種類あることが分かっている
んだ。その118種類の元素は、あるルールに従って
次のページのような表にまとめられているよ。

※2017年6月現在。

元素の周期表

族 周期	1	2	3	4	5	6	7	8	9
1	1H 水素								
2	3Li リチウム	4Be ベリリウム							
3	11Na ナトリウム	12Mg マグネシウム							
4	19K カリウム	20Ca カルシウム	21Sc スカンジウム	22Ti チタン	23V バナジウム	24Cr クロム	25Mn マンガン	26Fe 鉄	27Co コバルト
5	37Rb ルビジウム	38Sr ストロンチウム	39Y イットリウム	40Zr ジルコニウム	41Nb ニオブ	42Mo モリブデン	43Tc テクネチウム	44Ru ルテニウム	45Rh ロジウム
6	55Cs セシウム	56Ba バリウム	57~71 ランタノイド系	72Hf ハフニウム	73Ta タンタル	74W タングステン	75Re レニウム	76Os オスミウム	77Ir イリジウム
7	87Fr フランシウム	88Ra ラジウム	89~103 アクチノイド系	104Rf ラザホージウム	105Db ドブニウム	106Sg シーボーギウム	107Bh ボーリウム	108Hs ハッシウム	109Mt マイトネリウム

液体は臭素と水銀だけよ。

液体

気体

アクチノイド系の周期表は138～139ページを見てね！
ランタノイド系の周期表は108～109ページを見てね！

								族

凡例:
- = 金属元素・常温で固体
- = 金属元素・常温で液体
- = 非金属元素・常温で固体
- = 非金属元素・常温で液体
- = 非金属元素・常温で気体

10	11	12	13	14	15	16	17	18	族／周期
								₂He ヘリウム	1
			₅B ホウ素	₆C 炭素	₇N 窒素	₈O 酸素	₉F フッ素	₁₀Ne ネオン	2
			₁₃Al アルミニウム	₁₄Si ケイ素	₁₅P リン	₁₆S 硫黄	₁₇Cl 塩素	₁₈Ar アルゴン	3
₂₈Ni ニッケル	₂₉Cu 銅	₃₀Zn 亜鉛	₃₁Ga ガリウム	₃₂Ge ゲルマニウム	₃₃As ヒ素	₃₄Se セレン	₃₅Br 臭素	₃₆Kr クリプトン	4
₄₆Pd パラジウム	₄₇Ag 銀	₄₈Cd カドミウム	₄₉In インジウム	₅₀Sn スズ	₅₁Sb アンチモン	₅₂Te テルル	₅₃I ヨウ素	₅₄Xe キセノン	5
₇₈Pt 白金	₇₉Au 金	₈₀Hg 水銀	₈₁Tl タリウム	₈₂Pb 鉛	₈₃Bi ビスマス	₈₄Po ポロニウム	₈₅At アスタチン	₈₆Rn ラドン	6
₁₁₀Ds ダームスタチウム	₁₁₁Rg レントゲニウム	₁₁₂Cn コペルニシウム	₁₁₃Nh ニホニウム	₁₁₄Fl フレロビウム	₁₁₅Mc モスコビウム	₁₁₆Lv リバモリウム	₁₁₇Ts テネシン	₁₁₈Og オガネソン	7

固体

└ 日本がはじめて命名した元素!!

SCIENCE CONAN ● 元素の不思議

11

周期表って、どう見ればいいの？

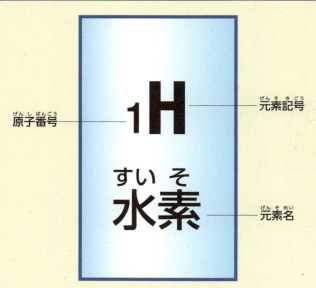

周期表の1番目は、左上の水素じゃ。
元素の中でも一番軽いものなのじゃ。

元素記号は、それぞれの元素を外国語で書いた
時の頭文字、あるいは頭文字にもう一文字を
加えてアルファベットで表すの。
だから水素は、ラテン語の"Hydrogenium"の
頭文字"H"が元素記号になっているのよ。

何か変な形の表だなぁ。
周期表の2番目の元素は、水素の下のリチウムなのかな？

周期表の2番目は、右上のヘリウムじゃ。
昔の化学者たちは元素を30種類ほどだと考えて、重さの順にヨコに並べていたのじゃ。

その後、ロシアの化学者メンデレーエフが、その当時知られていた60種類ほどの元素に、化学的に似た性質をもつ元素がくり返し現れることを発見したんだ。そして、それらがタテに並ぶように表をつくりかえたんだよ。

軽い元素 ——————→ 重い元素

むっ、似た性質をもつ元素がくり返し現れている……。

似た性質の元素をタテに並べたら、表が見やすくなったぞ！

ドミトリ・メンデレーエフ（1834〜1907年）
ロシアの化学者。現在の元素周期表のもととなるものをつくった。

ある一定の間隔（周期）ごとに似た元素が現れることから、この表を『元素の周期表』と呼ぶよ。

周期表ではヨコの列を『周期』、タテの列を『族』と呼ぶのよ。

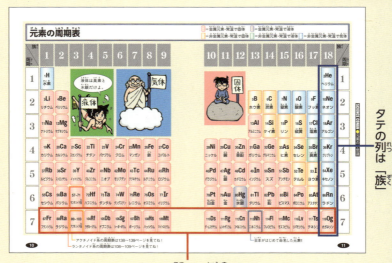

ヨコの列は「周期」

メンデレーエフ以降もさまざまな研究と発見がなされ、さっきも言ったように、元素は現在、118種類が発見されているよ。そして、現在の周期表では『陽子（※）』というものの数の順に元素が並べられているんだ。

※「陽子」についての詳しい説明は、18～20ページの解説を読んでね！

1番目の水素から92番目のウランまでのうち、43番目のテクネチウムと61番目のプロメチウムを除いた90種類の元素は天然に存在するものじゃ。そして、それ以外の元素は、人間が人工的につくり出したものなのじゃよ。

118種類ある元素のうち、113番目の元素は日本人の化学者が発見したの。このため、アジアではじめて元素を命名する権利を得て、『ニホニウム』と名づけたのよ。

まあっ！元素の名前に日本の国名が入っているなんて、何だか誇らしいわ！

とにかく、ものを小さく分けていって、それ以上は小さく分けられないものが『元素』だということは分かりました。つまり、元素が『ものの最小単位』ということでいいのですよね？

うーむ……ところがのぉ……昔は元素が『ものの最小単位』だと思われておったのじゃが、その後に研究が進み、元素もさらに細かく分けられることが明らかになったのじゃよ。

ええーっ!?
どういうこと？

元素はもっと細かく分けられる！

元素は、ある物質が『そのものの性質を保ったままでの最小単位』ということができる。しかし、物質と物質の化学反応を詳しく調べていくうちに、その元素の素となる、さらに小さな『原子』というものの存在が明らかになったのじゃ。

原子番号1番の水素"H"は、原子一つだけでは水素の性質を表すことができない。水素の性質を表すには、水素原子が二つくっついた状態にならなければならないんだ。このように、原子が二つ以上でくっついている状態のものを『分子』と呼ぶよ。

水素原子　　　　　　　　　　　　　　　水素原子

二つくっついた状態だと、水素分子（＝水素元素）

水素は、二つの水素原子がくっついてはじめて水素の性質を表すことができる。つまり『水素元素』とは『水素分子』のことなんだ。このように、原子と元素は似ているようで、実は別の状態を表す言葉だということを覚えておいてね。

16

水素のほかに、原子番号8番の酸素"O"も原子が二つのペアになってはじめて酸素の性質を表すの。
でもね、ちょっとややこしいんだけど、原子番号2番のヘリウム"He"は、たった一つの原子でヘリウムの性質を表すの。だからこの場合、『原子＝元素』となるのよ。

酸素原子　　酸素原子

O O　　He

酸素分子（＝酸素元素）　　ヘリウム原子（＝ヘリウム元素）

自然が決めたこととはいえ、本当にややこしいですねぇ……。ところで阿笠博士、原子は英語で"Atom"というそうですね。『分割できないもの』という意味のギリシア語が語源だそうですから、原子こそ『ものの最小単位』なのですね？

うーむ……ところがのぉ……
その後の研究によって、原子もまたさらに細かく分けられることが明らかになったのじゃよ。

えっ？　もっと細かく!?

原子もさらに細かく分けられる!

元素の素となるのは原子じゃが、今では、その原子もさらに小さな粒からできていることが明らかになっておるぞ。

空中に浮かぶ風船の中には、空気よりも軽いヘリウムガスが入っているよ。ここでは、その原子番号2番のヘリウム"He"を例に図に描いてみたから、よく見てね。

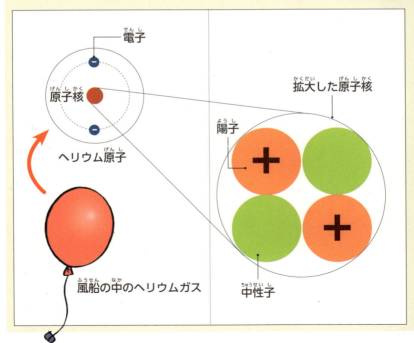

どの原子も、その中心には『原子核』という粒があって、そのまわりを『電子』という粒がとり巻いているの。ちなみに、原子の重さの99.9％は原子核の重さなのだそうよ。

その原子核も、さらに小さな『陽子』と『中性子』という粒からできているよ。

電子のところに『－（マイナス）』、陽子のところに『＋（プラス）』の記号が描かれているのは、どうしてなのですか？

電子　　　　　　　　　　陽子

その記号は、原子の電気的性質を表しているんだ。原子核の中には、プラスの電気をもった陽子と、電気をもたない中性子がほぼ同じ数だけある。
そして原子核の外側には、陽子と同じ数だけ、マイナスの電気をもった電子があるんだ。

つまり原子は、原子核と外側の電子を合わせて、電気的にはプラスマイナスゼロの中性になるわけ。周期表では元素に『原子番号』が振られているけれど、あの番号って、実は陽子の個数のことなのよ。

例えば、料理に使う塩のおもな成分は『塩化ナトリウム』という物質なんだけど、そこに含まれる元素『ナトリウム"Na"』の原子番号は11番。つまり、ナトリウムの原子核には陽子が11個と中性子が12個あって、その外側に電子が11個あるんだ。

ナトリウムの原子核にはプラスの電気をもつ陽子が11個（と電気をもたない中性子が12個）、その外側にマイナスの電気をもつ電子が11個あり、原子全体としては電気的にプラスマイナスゼロの中性になっている。

ふむふむ、おれにも何となく周期表の見方や、元素や原子のことが分かってきたような気がするぞ。

よし、それならば陶芸体験はまた別の日にして、今日は元素について学ぶことにしよう。118種類ある元素を元太にも分かるように説明していくぞ！

陽子や中性子より、もっと小さな粒《素粒子》

かつては原子が「ものの最小単位」だと考えられていた。しかしその後の研究により、原子は陽子、中性子、電子から成り立っていることが分かった。そして現代ではもっと研究が進み、陽子、中性子、電子もさらに小さな粒から成り立っていることが明らかになったんだ。

現在、「ものの最小単位」と考えられているのは「素粒子」と呼ばれる粒だ。素粒子は、大きく三つのグループに分かれている。陽子、中性子、電子の素となる「フェルミ粒子」。原子核の中で陽子と中性子を結びつけている力などを伝える「ゲージ粒子」。そして、それらの素粒子に質量(重さ)を与える「ヒッグス粒子」だ。

フェルミ粒子は、さらに「クォーク」と「レプトン」のグループに分かれ、それぞれ6種類ずつ。ゲージ粒子は4種類ある。それぞれの種類については、下の表(※)を参照してね。

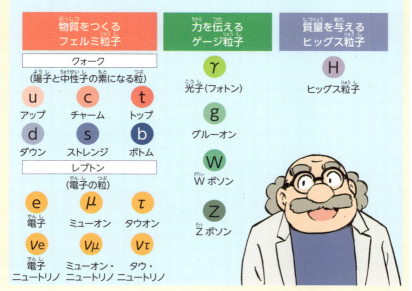

※この表は、素粒子物理学の標準理論に基づいています。上記のほかに「グラビトン(重力子)」が存在すると考えられています。

覚えておこう！ "元素" の用語集

●元素

世の中のすべてのものの素。ある物質が、そのものの性質を保つことができる最小単位となる。現在までに、118種類の元素が発見されている。

●元素の周期表

原子核の中に含まれる「陽子」の数が少ない順に、元素を並べた表。ロシアの化学者メンデレーエフが、現在の周期表のもとをつくった。

●周期

元素を陽子の数順に並べると、ある一定の間隔ごとに、化学的性質が似ている元素が現れる。これを「周期」と呼び、第1周期から第7周期まである。

●族

周期のルールに従って元素を並べた周期表ではタテ方向に、化学的性質が似ている元素が並んでいる。これを「同族元素」と呼び、1族から18族まである。

●元素記号

元素を外国語で表記した時の頭文字、あるいは頭文字にもう一文字を加えてアルファベットで表したもの。（例：水素→Hydrogenium→元素記号"H"）

●原子番号

原子核の中にある、プラスの電気を帯びた「陽子」の個数にもとづいて振り分けられた数字のこと。周期表では原子番号が小さい順に元素が並べられている。

●原子

古くは「ものの最小単位」と考えられていた、元素を形づくる粒。原子の中には電子、陽子、中性子という、さらに小さな粒が含まれている。

●分子

原子一つでは「そのものの性質」を保つことができない元素では、原子が二つ以上でくっついている。このように複数の原子がくっついた状態を分子と呼ぶ。

●原子核

原子の中心にある粒。原子の重さの99.9％は、原子核の重さが占めている。原子核は陽子と中性子からできていて、そのまわりを電子がとり巻いている。

●電子

原子核をとり巻いている小さな粒で、マイナスの電気をもっている。電気的に中性な一つの原子につき、プラスの電気をもっている陽子と同じ数だけある。

●陽子

中性子とともに原子核を形づくる小さな粒で、プラスの電気をもっている。陽子の数は、それぞれの元素によって固有の個数が決まっている。

●中性子

陽子とともに原子核を形づくる小さな粒で、電気的にはプラスマイナスゼロの中性。一つの原子につき、陽子とほぼ同じ数だけある。

元素のすべて!!

世の中のものを形づくる118種類の元素について、きみもコナンたちと一緒に学ぼう!!

元素20番の歌

作詞・作曲／川村康文

水兵リーベ　ぼくの船
七曲りシップス　クラル　カリカル
最初に4行8列書いちゃえ
行は周期で　列は族

第1周期は両端に2個だけ
水兵！　水兵！　水兵！　すいHey!!

第2周期は8個だけ
リーベ　ぼくの船

第3周期も8個だけ
七曲りシップス　クラル

第4周期はまず2個覚えろ
カリカル　カリカル
カリカル　カリカル

元素20番の歌〜♪

動画共有サービス「YouTube」のサイトに、川村先生が『元素20番の歌』を歌っている動画がアップロードされているよ。きみも川村先生と一緒に歌って元素を覚えよう!!

https://youtu.be/fiHWxoNoy-0

周期＼族	①							
①	水 ₁H 水素							兵 ₂He ヘリウム
②	リー ₃Li リチウム	ベ ₄Be ベリリウム	ぼ ₅B ホウ素	く ₆C 炭素	の ₇N 窒素	₈O 酸素	₉F フッ素	船 ₁₀Ne ネオン
③	七 ₁₁Na ナトリウム	曲り ₁₂Mg マグネシウム	₁₃Al アルミニウム	シッ ₁₄Si ケイ素	プ ₁₅P リン	ス ₁₆S 硫黄	クラル ₁₇Cl 塩素	₁₈Ar アルゴン
④	カリ ₁₉K カリウム	カル ₂₀Ca カルシウム						

10〜11ページの元素の周期表とはちょっとちがう形だけど、この表を見ながら歌を口ずさめば、原子番号1〜20番の元素がかんたんに覚えられるよ!

1H
すいそ
水素

1766年、イギリスの化学者キャヴェンディッシュは"ある元素"を発見した。その元素が『水素』と名づけられたのは1783年のことで、命名したのはフランスの化学者ラヴォアジエじゃった。原子番号1番の水素は、原子の中で一番軽く、原子核に陽子がたった一つ、そのまわりの電子もたったの一つという、とてもシンプルなつくりの原子なのじゃ。

宇宙全体で見ると、一番多い元素が水素なの。太陽も70％以上が水素からできていて、水素が燃えることによって、宇宙空間に大きなエネルギーを放出しているの。その太陽エネルギーには及ばないけれど、地球上でも酸素を使って水素を燃やすと大きなエネルギーがとり出せるわ。宇宙ロケットは、そのエネルギーを利用して打ち上げているのよ。

水素の元素記号は"H"と書くけれど、ふだん『水素』という場合は、水素原子が二つくっついてできている水素分子"H_2"のことをいうので、忘れないでね!!

水素原子 — H H — 水素原子

水素分子

水素分子"H_2"は、酸素"O"(→42ページ)とくっついて、水"H_2O"をつくるの。だから、水素を意味するフランス語の"Hydrogène"、英語の"Hydrogen"、そして日本語の"水素"も、この元素がもつ"水を生む性質"を表した言葉なのよ。

水素と空気中の酸素がくっついて水になる時には、電気エネルギーが生じる。その仕組みを利用する電池が『燃料電池』じゃ。今の自動車は、おもにガソリンや電気で走るのじゃが、将来に向けて『燃料電池自動車』の研究が進められておるぞ。
つまり水素は、未来のエネルギー源として大いに期待されている元素なのじゃ。

水素は水の素！

前ページで、哀ちゃんが「水素分子"H₂"は、酸素"O"とくっついて、水"H₂O"をつくる」と説明していたのを覚えているかな？　このように元素と元素がくっついてできた物質を「化合物」と呼ぶよ。つまり、水は「水素と酸素の化合物」といえるんだ。元素記号を使えば、算数の計算式のように化合物の成り立ちを表すことができる。このような式を「化学式」と呼ぶよ。

水の成り立ちを化学式で表してみよう!!

水素と酸素がくっつくと水になる。この現象を化学式で表すと、右のようになるよ。

$$2H_2 + O_2 \rightarrow 2H_2O$$

水は"H₂O"と表すのに、なぜ化学式では"2H₂O"となっているのだろう？　それは、水素も酸素も、通常は原子が二つくっついた分子（→16ページ）の形で存在しているからなんだ。

水素分子　H_2　●●
酸素分子　O_2　○○

水素分子一つと、酸素分子一つを足してみると……あれ？　酸素原子○が一つ、行き場を失ってしまったぞ？

$$H_2 + O_2 \rightarrow H_2O \ ?$$
●●＋○○
→ ●●●……○ ?

つまり実際は、水素分子二つと酸素分子一つが合わさり、水分子が二つできているんだ。この現象を化学式と記号で表すと、右のようになるんだよ。

$$H_2 + H_2 + O_2 \rightarrow 2H_2O$$
$$\underbrace{●●＋●●}_{2H_2}＋○○→$$
●○●＋●○●

26

水素と酸素がくっつく時、大きなエネルギーが発生する!!

水素と酸素がくっついて水になる仕組みは分かったかな？ 実は、この仕組みは世の中のいろいろな所で活用されているんだ。ここでは、その代表的なものとして「燃料電池」と「ロケット燃料」を紹介しよう。

燃料電池

燃料電池は、家庭用の発電装置などに用いられている最新技術だ。ガソリンなどの燃料を用いることなく、水素と酸素をうまく化学反応させることで、電気と熱をとり出しているよ。

ロケット燃料

ロケットの燃料には、液体水素と液体酸素が使われている。この二つを化学反応させて大きなエネルギーをとり出すことで、ロケットを宇宙まで打ち上げることができるんだ。

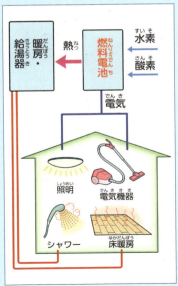

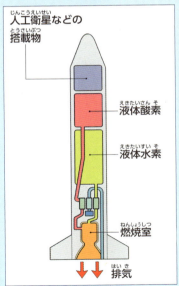

SCIENCE CONAN ●元素の不思議

₂He
ヘリウム

ヘリウムは、皆既日食を観測していた二人の天文学者により1868年に発見されたぞ。そのうちの一人、イギリスの天文学者ロッキヤーは、観測した光が『太陽にしか存在しない元素からの光』だと考え、その仮定の元素に、ギリシア語で太陽を意味する『ヘリウム』と名づけたのじゃ。

その後、ヘリウムは地球上にも存在することが確認されたよ。常温では気体で、水素の次に軽い元素なんだ。だけど水素とちがって、ヘリウムは燃えにくいガスなので、飛行船やヘリウム風船に使われているよ。

ヘリウムは『希ガス』というガスの仲間じゃ。この希ガス類は、ほかの元素と化学反応を起こしにくい。つまり、安定した元素だからこそ燃えにくいのじゃよ。また、ヘリウムをマイナス269℃以下に冷やすと液体になる。この液体ヘリウムは、リニアモーターカーを走らせるのに欠かせないものなのじゃぞ。

ヘリウムのおかげで気球は飛べる

大空をフワフワ漂う気球。気球に乗って空の旅をしてみたい、と思う人も多いのでは？　気球には、大きく分けて二つの種類がある。一つは「熱気球」、もう一つは「ガス気球」だよ。

熱気球

熱気球は、「空気を温めると軽くなる」という性質を利用して空を飛ぶ気球だ。1783年にフランスのモンゴルフィエ兄弟が、はじめて有人飛行を成功させた。このため、フランス語では熱気球のことを「モンゴルフィエール」と呼ぶよ。

ガス気球

ガス気球は、空気より軽い気体を袋に詰め、その浮力を利用して空を飛ぶ。1783年にフランスのシャルルが、水素ガス気球の有人飛行に成功した。このため、ガス気球は「シャルリエール」と呼ばれているよ。現在は、水素より安全なヘリウムが使われているんだ。

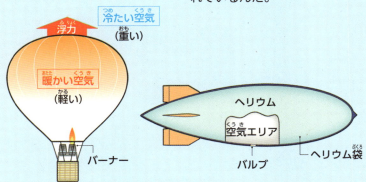

バーナーの炎の熱で空気を温め、上昇する。気球の上部から暖かい空気を抜いたり、熱するのをやめたりして下降するよ。

ガス気球の仲間の飛行船では、空気エリアの空気の量を調節することで、飛行船の傾きなど、姿勢の制御を行っているよ。

3Li
リチウム

リチウムは、スウェーデンの化学者アルフェドソンが1817年に、『葉長石』という鉱石を分析している時に発見した元素じゃ。鉱石の中から見つかったことから、ギリシア語で『石』を意味する"Lithos"という言葉にちなんで名づけられたのじゃよ。

リチウムは銀白色の軟らかい金属だよ。すべての金属元素の中でもっとも軽く、金属なのに水よりも軽いんだ。リチウムを燃やすと、紅色の炎が上がる。だから、火薬に混ぜて、花火に使われることが多いよ。

今もっとも注目されているリチウムの用途は、充電式の『リチウムイオン電池』ね。『ニッケル水素電池』など、ほかのタイプの充電池と比べて軽量で、持続時間が長いなどのすぐれた特長をもっているため、ノート型パソコンやスマートフォンのほか、電気自動車にも利用されているのよ。

リチウムを使った電池！

電池には、乾電池のような使い切りのタイプの「1次電池」と、スマートフォンやノート型パソコンのバッテリーのように充電して何回も使える「2次電池」の2種類がある。

2次電池の中でも、現在、主流になっているのが、リチウムの化学的な反応を利用して充電や放電を行う「リチウムイオン電池」だ。リチウムイオン電池には、これまでの2次電池（鉛蓄電池、ニカド電池、ニッケル水素電池）に比べてすぐれた特長がたくさんある。そのため、身のまわりの電気製品から自動車、飛行機まで、さまざまな場面で使われているよ。

ここがすごいぞ！リチウムイオン電池

①4V程度の高い電圧が得られる。
②同じ大きさのほかの充電池より、多く電気をためられる。
③つぎ足し充電しても、充電できる量があまり減らない。
④使わずにいると少しずつ放電してしまう現象（自己放電）がほとんどない。
⑤充電した電気をムダなく、効率よく使える。
⑥寿命が長く、500回以上も充放電できる。
⑦高速充電ができる。
⑧一度にたくさん放電可能。

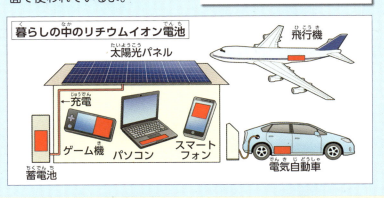

暮らしの中のリチウムイオン電池

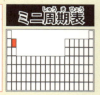

₄Be
ベリリウム

フランスの化学者ヴォークランが1797年に『緑柱石』という鉱石から発見した元素よ。宝石のエメラルドやアクアマリンも、この緑柱石の仲間なの。ヴォークランがこの未知の元素をなめたら甘かったことから、彼は『甘さ』を意味するギリシア語"Glykys"にちなんで『グルシニウム』と名づけたの。

でも、甘い元素はほかにもある。そこで、ウラン（→142ページ）などを発見したドイツの化学者クラプロートが、緑柱石の英語名"Beryl"にちなんだ元素名を提案し、今ではベリリウムと呼ばれているんだ。この元素はとても硬い金属なので、レーシングカーのブレーキなどに利用されていたよ。

じゃが、ベリリウムが有毒なことが明らかになってから、ブレーキなどは別の素材に置き換えられておるのじゃ。ベリリウムは電子の数が少ないので、放射線の一種『エックス線』を通しやすい。そこで現在は、エックス線発生装置からエックス線をとり出す窓などに利用されておるのじゃ。

₅B ホウ素

ミニ周期表

1808年、共同研究を行っていたフランスの化学者ゲイ＝リュサックとテナールのほか、イギリスの化学者デービーが、ほぼ同時期に別の場所で発見した元素だよ。『ホウ砂』という鉱石に含まれていることから、英語の元素名"Boron"はホウ砂を意味するアラビア語"Buraq"にちなんでいるんだ。おもに、耐熱ガラスの材料として利用されているよ。

SCIENCE CONAN ●元素の不思議

ホウ酸団子

　ホウ酸団子は、ゴキブリが好きなジャガイモやタマネギなどをつぶしたペーストに、ホウ素を含む化合物「ホウ酸」を加えて団子にしたもの。ホウ酸には毒があるため、団子を食べたゴキブリは死んでしまう。そのゴキブリの死がいやフンを食べた別のゴキブリも死ぬので、駆除効果は抜群だ。海外でも「ジャパニーズ・ホウサン・ダンゴ」として知られている。

33

₆C
炭素

ミニ周期表

炭素は、木を燃やすと『炭』という形でかんたんに入手できるので、大昔から人類に利用されてきた。また、宝石の一種であるダイヤモンドの存在も、紀元前2500年ごろの古代中国で、すでに知られておったそうじゃ。ところが、炭とダイヤモンドの素となる元素はともに炭素じゃ、ということが明らかになったのは、18世紀後半になってからのことだったんじゃ。

炭素を含む『グラファイト』という物質を、日本では『黒鉛』と呼ぶよ。『鉛』という字が使われていることから分かるように、昔は鉛を含む物質だと思われていたんだ。でも、炭もダイヤモンドもグラファイトも同じ元素からできていることが明らかになったため、『木炭』を意味するラテン語 "Carbo" にちなみ、英語で "Carbon（炭素）" と呼ばれるようになったんだ。

炭素はいろいろな形で存在しているけれど、『結晶』の形がそれぞれちがうの。ダイヤモンドの結晶の多くは八面体よ。安定した形状だから、天然ではもっとも硬い物質なの。一方、グラファイトの結晶は、六角形の格子状のシートが何層にも重なっているの。層がはがれやすく、軟らかい物質だから、えんぴつの芯に使われているのよ。

ダイヤモンドの結晶

グラファイトの結晶

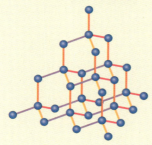

炭素はほかの元素とくっついて、さまざまな物質に変化する。例えば炭素"C"が酸素"O"（→42ページ）とくっつけば『二酸化炭素"CO_2"』になる。植物は、その二酸化炭素を空気中からとり入れて栄養分をつくり出し、動物は、その植物を食べて炭素を体内にとり入れておる。つまり生物はみな、炭素を外部とやりとりしながら生きておるのじゃ。

地球の温暖化と二酸化炭素

　地球環境問題は、人類にとって待ったなしの最重要課題だ。中でも、大気や海水の温度が上昇し続ける「地球温暖化」は、私たちの生活に深刻な影響をもたらす大きな問題なんだ。

　温暖化によって海水が熱で膨張したり、氷河が溶けたりすると海水面が上昇し、水没する島や地域が出てくるだろう。豪雨や干ばつなどの異常気象が増えれば、食物生産にも影響を与えて、食料不足が発生する。冷房をたくさん使うことで、エネルギー不足も引き起こすんだ。

　地球温暖化の原因は、二酸化炭素などの「温室効果ガス」の増加にあると考えられている。温室効果ガスには、本来、地球の表面から宇宙へ放出されるはずの熱を、大気中に閉じ込めてしまう性質があるからだ。

　地球温暖化は人類共通の課題だ。地球の温暖化を食い止め、ヒトが暮らしやすい地球環境を未来に残していく方法を、読者のみんなも世界の人びとと一緒に考えてほしい。

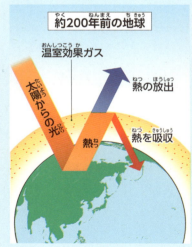

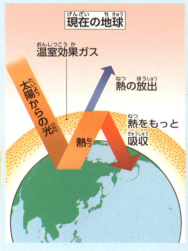

実験！二酸化炭素の温室効果を確認しよう!!

二酸化炭素には、本当に温室効果があるのだろうか？ 実験で確かめてみよう!!

●用意するもの

実験用の二酸化炭素ボンベ（580mL）×1
穴あきシリコン栓×2　温度計×2　段ボール箱×1
空のペットボトル（2L）×2　ストップウォッチ×1
※二酸化炭素ボンベやシリコン栓は、インターネットで購入できます。

●実験方法

手順1／地球モデルを準備する

①シリコン栓の穴に温度計を差す。
②空のペットボトル2本を洗ってから乾かす。一方のペットボトルには、ボンベから約15秒間、二酸化炭素を十分に入れ、温度計を差し込んだシリコン栓をする。もう一方のペットボトルには、温度計を差し込んだシリコン栓をそのままつける。

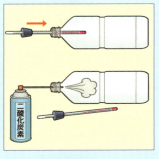

手順2／青空実験開始！

①手順1でつくった「地球モデル」を日光に当てないように段ボール箱の中に入れ、日向にもっていく。
②地球モデルを段ボール箱から出し、時間を計りながら、温度上昇を測定して比較する。二酸化炭素入り「地球モデル」の方が、温度がより早く高く上昇することを確かめよう。

₇N
窒素

地球上の大気の成分は、約78%が窒素、約21%が酸素（→42ページ）、残りの約1%がアルゴン（→64ページ）や二酸化炭素だ。この大気中から、窒素だけをとり出すことにはじめて成功したのはスコットランドの化学者ラザフォードで、1772年のことだったよ。彼が、その実験で得られた未知の気体の中にネズミを入れたところ、ネズミは窒息死した。そこで彼は、その気体を『有毒な空気』と名づけたんだ。

ドイツでは『窒息させる物質"Stickstoff"』と呼ばれていて、日本の元素名はそれを翻訳したものよ。英語の元素名"Nitrogen"は窒素が『硝石』という鉱石から得られることに由来していて、ギリシア語の『硝石』と『生じる』を合わせた言葉なの。
窒素は、生物のからだをつくるアミノ酸、タンパク質、DNAに欠かせない、とっても大切な元素なのよ。

窒素は常温では気体じゃが、マイナス196℃まで冷やすと液体になる。この『液体窒素』は冷却剤として、血液の凍結保存などに利用されておるんじゃ。また、窒素と水素が合わさると『アンモニア』という化合物になり、虫さされの薬などに利用されておるぞ。窒素と水素に酸素が加わると『硝酸』になり、ダイナマイトの原料になるんじゃ。

アンモニア（NH₃）

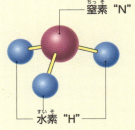

- 窒素 "N"
- 水素 "H"

硝酸（HNO₃）

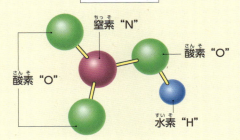

- 窒素 "N"
- 酸素 "O"
- 水素 "H"

窒素は使い道が多い元素だけど、その反面、環境汚染の原因ともなっている。大気中に約78％も含まれているため、火を使って何かを燃やすと、窒素と酸素が合わさった『窒素酸化物"NOx"』が生じてしまう。これが大気中を上昇し、上空で太陽光線に当たると硝酸に変化する。この硝酸を含む『酸性雨』は木を枯らしたりしてしまうんだ。

植物の生長に必要な肥料の三要素 "NPK"！

植物が生長するためには、さまざまな元素が必要だ。中でも特に重要なのが窒素（N）、リン（P）、カリウム（K）で、この三つを合わせて「肥料の三要素（※）」と呼んでいる。

① N（窒素）
窒素は、植物のからだ全体を大きく生長させるのに必要な元素だ。植物は窒素を利用して、タンパク質など生長に必要な物質をつくっている。窒素を含む肥料には油カス、魚カス、尿素、硫酸アンモニアなどがあるよ。

② P（リン）
リンの化合物「リン酸」は、植物の細胞の成分になる。リン酸肥料には骨粉、米ぬかなどがあり、植物の花や果実を生長させ、収穫量をあげる効果がある。リンは、植物が栄養をつくる「光合成」などにも影響するので、足りないと生長が止まってしまうこともある。

③ K（カリウム）
カリウムは、植物の根が育つのに特に必要な元素だ。でも、土の中や空気中にはほとんど存在しないので、肥料として与える必要がある。カリウムを含む肥料には草木灰、苦土石灰、塩化カリウム、硫酸カリウムなどがあり、与えると病虫害や寒さや暑さに強くなる効果がある。

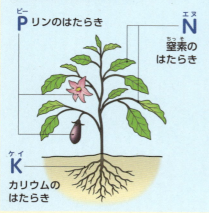

※カルシウムとマグネシウムを加えて、「肥料の五要素」とも呼ぶ。

窒素の循環

地球の大気中に約78％も含まれている窒素は、化学変化によって姿を変えながら、地球上をぐるぐると巡っている。この現象を「窒素の循環」と呼ぶよ。

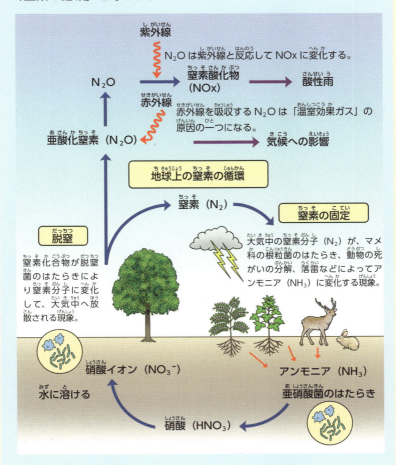

₈O
酸素

ミニ周期表

酸素は、生物が呼吸に使う重要な元素で、大気中に約21％含まれておる。じゃが、地球に大気が生じたころの『原始大気』には、酸素がほとんど含まれていなかったのじゃ。炭素のところで説明した通り、植物は空気中の二酸化炭素をとり入れて栄養分をつくり出しておる。そして、不要になった酸素をはき出しているのじゃ。この植物のはたらきによって、現在の酸素濃度になったんじゃよ。

大気に酸素が含まれていることに、最初に気づいたのは、スウェーデンの化学者シェーレよ。発見は1771年のことだったけれど、論文の発表まで6年もかかってしまったの。その間の1774年、イギリスの学者プリーストリーも酸素を発見。翌年に論文を発表したため、プリーストリーが酸素の発見者として認定されたの。でも、今ではシェーレも発見者として認められているのよ。

42

酸素が発見された当時、フランスの化学者ラヴォアジエは、この元素が『すべての酸を生むもの』だと誤解して、ギリシア語の『酸』と『生む』を合わせ、"Oxygène"と名づけた。だから酸素は英語でも"Oxygen"と書くんだけど、本当は、酸のもとになる元素は『水素』なんだよね。

ある物質が酸素と化学反応することを『酸化』と呼ぶぞ。紙や木が燃えるのも、鉄がさびるのも、皮をむいたリンゴの表面が茶色くなるのも、すべて酸化によるものじゃ。酸化を防ぐためには、酸化防止剤を使うぞ。リンゴの酸化を防ぐには、皮をむいたあと、炭酸水につけておく方法がおすすめじゃ。

燃焼や爆発は『急激な酸化現象』といえる。だから酸素は燃焼を助ける『酸化剤』として、大きなエネルギーを必要とするロケット燃料にも使われているよ。でも、物を燃やすと酸素が使われて、二酸化炭素が空気中に放出される。化石燃料を大量消費する現代では、大気中の二酸化炭素が増えすぎて、地球の温暖化が進むことが心配されているんだ。

SCIENCE CONAN●元素の不思議

酸素がなければ生きられない

ふつう、生き物は酸素がなければ生きていけない。なぜなら、ほかの動植物（有機物）を食べて体内にとり入れ、そこからエネルギーをとり出す時、酸素が必要になるからだ。その際、有機物は水と二酸化炭素に分解されて、体外に排出される。酸素呼吸をする生物が、酸素を吸って、二酸化炭素をはき出しているのはそのためなんだ。

呼吸に用いるからだの器官を「呼吸器」と呼ぶよ。ヒトの場合は、鼻や口から、気管、気管支、肺までが呼吸器にあたる。ヒトの肺は、左右に一つずつ2個あり、横隔膜が上下することによって、ふくらんだり、縮んだりしているんだ。

鼻や口から入った空気は気管〜気管支を通って肺に届く。そして、肺の中には「肺胞」という小さな袋がいくつもあり、そこで酸素の吸収と二酸化炭素の放出を行っているよ。

ヒトを含むほ乳類のように、肺で呼吸をすることを肺呼吸という。一方、魚には肺がなく、エラで呼吸しているよ。口から水を吸い込み、エラで水の中の酸素をとり込み、二酸化炭素を放出しているんだ。呼吸の方法はちがっても、酸素がなければ生きていけないのは同じだね。

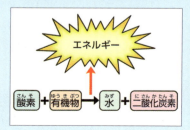

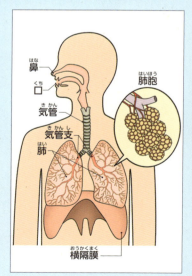

実験！ 石灰水に息を吹き込むと!?

きみたちがはき出した息の中に、本当に二酸化炭素が含まれているのかどうか、実験で確認しよう!!

●用意するもの

水酸化カルシウム（消石灰）×25g
水×250mL
コップ×1
ストロー×1

●実験方法

手順1
コップの中に水酸化カルシウムと水を入れる。そして、割りばしなどでよくかき混ぜて石灰水をつくる。

手順2
溶けきらなかった水酸化カルシウムが下に沈み、石灰水が透明になるまで待とう。

手順3
透明になった石灰水にストローで息を吹き込む。すると……。

結果
石灰水が白くにごる。なぜなら、石灰水に含まれる水酸化カルシウムと、吹き込んだ息に含まれる二酸化炭素が合わさると、「炭酸カルシウム」という、水に溶けない白色の化合物ができるからなんだ。

₉F
フッ素

ミニ周期表

フッ素は、ヘリウムとネオン以外のすべての元素と化学反応する、反応性がもっとも強い元素だよ。1886年にフランスの化学者モアッサンが、『蛍石』という鉱石から単体でとり出すことに成功したんだ。英語の元素名"Fluorine"は『蛍石』を意味する言葉で、日本ではその英単語の最初の音をとって『フッ素』と呼ばれるようになったんだ。

フッ素の力で虫歯を撃退！

フッ素は現在、ほとんどの歯みがき剤に入っている。その理由は、フッ素には虫歯を予防する効果があるからなんだ。

フッ素を歯につけると、表面の「エナメル質」が強くなり、虫歯菌がつくる酸に溶けにくくなる。また、まだひどくなっていない初期の虫歯なら、酸に溶けてしまった「エナメル質」の修復（再石灰化）を助けてくれる効果もフッ素にはあるんだ。

[フッ素を多く含む飲食物]

イワシ　リンゴ　大根　緑茶

46

₁₀Ne ネオン

ネオンは化学的に安定した元素よ。だからフッ素とは逆に、ほかの元素と結びつかないの。1898年にイギリスの化学者ラムゼーとトラバースが、クリプトン（→88ページ）やキセノン（→102ページ）とともに発見したわ。元素名は、ギリシア語で『新しい』を意味する"Neos"にちなんでいるの。用途として有名なのは、照明のネオン管ね。

人をひきつける灯り

にぎやかな夜の街を彩る「ネオンサイン」は、ネオンガスを詰めたガラス管（ネオン管）の中に放電すると赤橙色に発光する性質を利用した「光る看板」だ。でも、ネオンは赤橙色にしか光らないので、実際には光らせたい色によって詰めるガスを変えている。黄色はヘリウム、青や紫はアルゴンなど。それぞれの元素の性質を利用して、色とりどりに光らせているんだ。

ネオン管を曲げて文字や絵をデザインした「ネオンサイン」は、約100年前にフランスで開発された。

11 Na
ナトリウム

ナトリウムは金属じゃが、ナイフで切れるほど軟らかい。また、反応性が非常に高く、わずかな量でも水と触れると水柱が上がるほど激しく反応し、『水酸化ナトリウム』になる。また、酸素とも反応するため、保存する場合は灯油に浸すのじゃ。

ナトリウムは、すぐに別の物質に変化してしまうから、単独でとり出すのは難しかったの。『水酸化ナトリウム』からナトリウムだけをとり出すことに、最初に成功したのはイギリスの化学者デービーで、1807年のことよ。元素名は、『天然ソーダ』を意味するラテン語 "Natron" に由来しているの。

ナトリウムは、とり扱いに注意が必要な危険な元素だけど、ナトリウムを含む物質は食塩（塩化ナトリウム）やベーキングパウダー（炭酸水素ナトリウム）など、身近な食品として利用されているよ。また、ナトリウムを使ったランプの光は遠くまで届くため、トンネルの照明などに使われているんだ。

"塩"のつくり方

ナトリウムは、ヒトが生きる上で欠かせない元素の一つだ。私たちはその多くを「食塩」としてからだにとり入れている。塩は塩化ナトリウム "NaCl" がおもな成分で、大きく分けて四つの方法で製造されている。

塩の結晶は、環境のちがいによってさまざまな形になる。

①岩塩

昔は海だった土地が、地殻変動によって地中に埋まり、海水の塩分が固まったものが岩塩だ。岩塩から直接、塩をとり出したり、一度水に溶かしてから煮詰めて塩をつくったりする。

②海塩（天日塩など）

砂浜につくった「塩田」に海水をまき、長い時間をかけて太陽の熱や風で海水を濃縮して、結晶化した塩を収穫する。

塩田による塩の生産は、西ヨーロッパ、メキシコやオーストラリアなどで盛ん。

③海水

海水を煮詰めると、塩をとり出せるが、大量の燃料が必要になる。そこで、現在の日本では電気エネルギーを使って化学的に塩をとり出す「イオン交換膜製塩法」が主流になっている。

④湖塩

アラビア半島にある「死海」をはじめ、世界各地に「塩湖」と呼ばれる塩分濃度が高い湖があり、湖水から塩をとり出せる。

塩分濃度が濃い「塩湖」では、かんたんに浮くことができる。

12 Mg マグネシウム

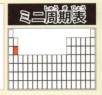

この元素を含む『酸化マグネシウム』という白い粉状の物質は、古くから"Magnesia Alba"と呼ばれ、歯みがき粉の原料などとして使われてきた。"Magnesia"とは、この粉の産地である古代ギリシアのマグネシア県のことで、"Alba"は白い粉のことじゃ。1808年、イギリスのデービーが『酸化マグネシウム』から元素をとり出すことに成功し、マグネシウムと命名したのじゃよ。

マグネシウムはとても軽い金属で、アルミニウム（→52ページ）の3分の2程度の重さしかない。でも、マグネシウムそのものだけだと、空気中ではかんたんに燃えてしまうので、アルミニウムや亜鉛（→82ページ）に混ぜて、『合金』として利用するんだ。アルミニウム合金は軽くてじょうぶなので、自動車のホイールやカメラのフレームなどに利用されているよ。

マグネシウムを燃やすと青白い光を発することから、以前は写真撮影用の照明として使われていたわ。今は、キャンプで火おこしをするための道具『ファイヤースターター』にも使われているわね。あと、お豆腐をつくる時には、豆乳を『にがり』で固めるんだけど、その『にがり』には『塩化マグネシウム』が含まれているのよ。

そもそもマグネシウムは、生き物にとって欠かせない元素の一つなんだ。ヒトの場合は骨や歯をつくることなどに使われているよ。植物の場合は、植物の生長に必須の『クロロフィル（葉緑素）』という化学物質の中に含まれている。クロロフィルが足りないと植物が育ちにくくなるため、マグネシウムを含む肥料が利用されているよ。

13 Al
アルミニウム

アルミニウムは、とても身近な金属元素の一つじゃ。古代エジプトではアルミニウムを含む『ミョウバン』という物質が、布などの染色に利用されておった。ミョウバンは、今でもナスの漬物の発色をよくするために使われておるな。元素名は、ミョウバンを意味するラテン語"Alumen"に由来しておる。

1825年、デンマークの化学者エルステッドが『酸化アルミニウム』という物質から、はじめてアルミニウムだけをとり出すことに成功したの。ちなみに宝石のルビーやサファイアは、この酸化アルミニウムを含む鉱石『コランダム』の仲間なのよ。

アルミニウムは1円硬貨やアルミホイル、アルミ缶など身近な場所で使われているよ。また、アルミニウムに銅などを加えた合金の『ジュラルミン』は軽くてじょうぶなので、飛行機の機体や現金輸送用のケースなどに使われているんだ。

いろいろな金属の鍋

毎日の料理に欠かせない鍋は、軽く、さびにくく、熱をよく通し、じょうぶなことが大切だ。ヒトは金属のさまざまな特長を利用して、いろいろな鍋を開発してきたよ。

①アルミ鍋

アルミニウムの鍋は熱をよく通すが、軟らかい金属なので傷がつきやすい。また、酸に弱いため、耐蝕性を高めるアルマイト加工を施したものも多い。

②銅鍋

銅の鍋は熱をよく通すが、アルミ鍋に比べて価格が高い。軟らかい金属なので傷がつきやすく、さびやすいので、手入れに手間がかかる。

③鉄鍋

じょうぶで、熱にも強く、油がなじみやすい。鉄鍋を使って調理することで、食事とともに鉄分を補給することもできるけれど、さびやすく、重い。

④ステンレス鍋

軽くてさびにくいけれど、熱を通しにくい。このため、アルミや銅などの熱を通しやすい金属をサンドイッチ状にはさんだ、多層構造の製品が多い。

14 Si
ケイ素

ケイ素は、コンピュータの基盤などに用いられている元素じゃ。その意味では、英語名の"Silicon"と呼んだ方が通じるかもしれんのお。
ケイ素を含む『二酸化ケイ素』という物質は、ガラスのおもな成分として知られ、何と紀元前1500年以前からガラスづくりに使われてきた。このようにケイ素は、古くて新しい元素といえるのじゃ。

ケイ素を含む鉱石には『石英』や『水晶』、『雲母』などの種類があって、これらをまとめて『ケイ石』と呼ぶの。ケイ素の英語名は、『ケイ石』を意味するラテン語"Silicis"にちなんだものよ。ケイ素を含む物質から、ケイ素だけをとり出すことに成功した最初の人物は、セレン（→86ページ）などの元素も発見したスウェーデンの化学者ベルセリウスで、1823年のことだったわ。

水晶に電気を流すと、一定の周期で規則的に振動する。この仕組みをいかした機械が『クオーツ時計』だ。クオーツ時計では、通常は1秒間に3万2768回振動する水晶を用いて、その振動数に合わせて時計の針の動きを調節しているんだよ。

逆に、水晶に圧力を加えると電気が発生するの。この仕組みを利用して、水晶はライターやガスコンロの点火装置にも使われているわ。また、『GFRP』と呼ばれる『ガラス繊維強化プラスチック』は、ケイ素を含むガラス繊維でプラスチックを補強した素材なの。軽くて強いから、小型ボートの船体やヘルメットなどに利用されているわ。

ケイ素を含むガラスの用途として注目されておるのが『光ファイバー』じゃな。光ファイバーを使えば、金属製ケーブルのように電磁気の悪い影響を受けることなく、極細の信号線で、遠くまで高速に信号を伝えることができるのじゃ。このような特長をいかして、光通信ケーブルや、胃カメラなどの内視鏡に活用されておるぞ。

さまざまな場所で活躍するケイ素①

半導体

　現代の私たちの生活に欠かせない物質が「半導体」だ。半導体とは、電気を通す「導体」と、電気を通さない「絶縁体」の中間的な性質を示す物質のこと。半導体は、パソコンやテレビ、スマートフォンやデジタルカメラ、ICカードなど身近な電気製品に幅広く使われている。

　その半導体に、もっとも多く使われている元素がケイ素だ。電機業界では、「シリコン」と呼ぶことが多い。ケイ素は地球上で酸素の次に多い元素だけれど、電気製品などに使用する集積回路（IC）をつくるためには、99.999999999％という超高純度のケイ素が必要となるよ。「9」が11個も並んでいることから「純度11N（イレブン・ナイン）」と呼ばれるケイ素を得るためには、とても高い技術が求められるんだ。

さまざまな場所で活躍するケイ素②

太陽電池

太陽などの光を受けて、その光のエネルギーを電気エネルギーに変える装置を「太陽電池」と呼ぶ。太陽電池は、太陽光発電のパネルから電卓まで、さまざまな所で利用されているよ。

太陽電池には、電気的な性質の異なる「n型半導体」と「p型半導体」という2種類の半導体が使われている。これらの半導体もケイ素からつくられているけれど、集積回路とはちがって純度は6N（99.9999%）から7N（99.99999%）くらいでだいじょうぶなんだ。これまでは、集積回路などに使えなかったケイ素を利用してきたけれど、太陽電池の需要が急速に拡大したため、それだけでは足りなくなってしまった。さらに、製造コストを抑える必要性からも、近年は「ソーラーグレードシリコン」と呼ばれる太陽電池専用の半導体がつくられるようになってきているよ。

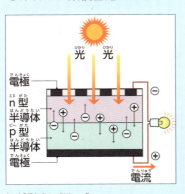

太陽電池に光が当たると、プラスとマイナスの電気を帯びた粒子が生まれる。マイナス粒子はn型半導体、プラス粒子はp型半導体の方へ集まり、その結果、電気が流れるよ。

太陽電池パネル

15 P
リン

この元素が発見されたのは1669年。『人間の尿には銀を金に変える物質が含まれている』と信じていたドイツの錬金術師ブラントが、尿を蒸発させている時に発見したんだって。リンは燃えやすい元素で、マッチなどに使われている。日本語の元素名は、ひとだまを意味する『燐』にちなんでいるよ。

環境汚染 "富栄養化"

「富栄養化」とは、海や川の水の栄養分が、自然の状態よりも増えすぎた状態になることだ。そのおもな原因は、リンや窒素を含んだ下水（生活雑排水）や、農牧業・工業廃水にある。

富栄養化によってプランクトンが異常発生すると、「赤潮」や「アオコ」を引き起こす。大量のプランクトンによって、水面が赤や青緑に見えるんだ。赤潮やアオコが発生すると水中の酸素が足りなくなり、魚や貝が大量死してしまうよ。

16 S
硫黄(いおう)

硫黄は、火山ガスや温泉水に多く含まれている元素よ。その存在は大昔から知られていたので、発見者は特定できないの。元素名の『硫黄』には、『溶けて流れやすい黄色い鉱物』という意味が込められているわ。
硫黄は黒色火薬の原料になるほか、医薬品や化学肥料にも使われているの。あと、弾力を増すため、ゴムに混ぜたりもするわね。

温泉天国ニッポン

日本は火山が多いために火山性の温泉が多く、温泉水には硫黄が含まれている。このような温泉を硫黄泉というよ。硫黄泉は、昔からリウマチや皮膚病などの病気に効くといわれ、湯治(温泉に入って療養すること)に訪れる人も多いんだ。
温泉地で卵がくさったようなにおいがするのは、硫黄と水素の化合物「硫化水素」のにおいだ。火山の火口周辺などで多く発生する硫化水素は有毒なので、大量に吸い込むと呼吸まひを起こして死亡することもある。要注意だよ。

17 Cl
塩素(えんそ)

ミニ周期表

1774年に、酸素の発見者でもあるスウェーデンのシェーレが発見したぞ。塩素は、常温では不快なにおいをもつ黄緑色の有毒な気体じゃ。このことから、英語の元素名"Chlorine"は、ギリシア語で『黄緑色』を意味する"Chloros"にちなんでおる。塩素は強い毒性をもつため、1915年には人類史上初の毒ガス兵器として戦争で使われたのじゃ。

塩素は、毒にもなれば薬にもなる元素だよ。強い漂白作用と殺菌作用をもっているため、衣類の漂白剤や、水道水やプールの消毒薬としても使われているんだ。ただし気体のままで扱うのは危険なため、『水酸化ナトリウム水溶液』と塩素ガスを反応させた化合物『次亜塩素酸ナトリウム』の状態で利用されることが多いよ。

塩素の使い道として、もっとも身近なのは『塩』だと思うわ。塩の主成分は『塩化ナトリウム』といって、塩素とナトリウムを合わせたものなの。日本語の『塩素』という元素名は、塩の成分であることにちなんでいるのよ。それにしても、塩素だけだと危険なのに、ほかの元素と合わせると有益なものに変化するのだから、不思議よね。

塩素はほかの元素や物質とくっついて、さまざまな化合物に変化するよ。『炭化水素』という物質とくっつくと、20世紀前半まで麻酔薬として使われていた『クロロホルム』になる。塩素と水素の化合物『塩酸』は、トイレ用の洗剤などに使われているほか、ヒトの胃液の中にも含まれていて、食べ物の消化を助けているんだ。

水道のパイプや網戸などに使われておるプラスチックの一種『ポリ塩化ビニル』にも、塩素が含まれておるぞ。
しかし塩素系プラスチックには、ゴミとして焼却する際に、発がん性物質の『ダイオキシン』を発生させてしまうものがあり、法律で規制されているものも多いんじゃ。

安全な水道水に欠かせない塩素

水をきれいにする浄水場

　川やダムからとり入れた水から、水に含まれる不要な物質、有害な物質をとり除く場所が浄水場だ。浄水場では、沈殿やろ過、凝固などの方法で水の浄化を行い、塩素を注入して鉄やアンモニアをとり除く。そして、さらにもう一度、消毒のために塩素を入れる。このような工程を経て、東京都水道局の場合、一日に686万㎥もの水が浄水さ

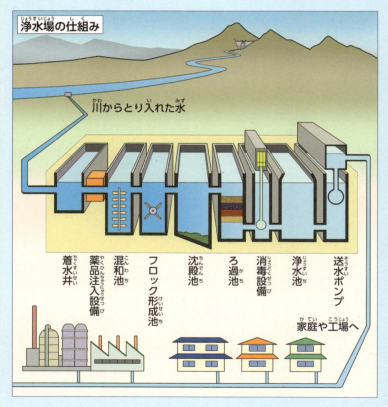

浄水場の仕組み

川からとり入れた水

着水井／薬品注入設備／混和池／フロック形成池／沈殿池／ろ過池／消毒設備／浄水池／送水ポンプ

家庭や工場へ

れ、安全な水が私たちのもとへ供給されているんだ。

塩素の毒には病原菌もかなわない

塩素には、非常に強い毒性がある。その毒がコレラ菌や大腸菌などの病原菌にも効くため、結果として水を殺菌することができるんだ。もちろん、ヒトが飲んでもだいじょうぶなように、『水道法施行規則』によって水道水に含まれる塩素の量は厳しく規制されているよ。

塩素で消毒していない水を使っていた時代には、飲み水が原因でコレラや赤痢などの病気が流行することがあった。でも、塩素を使った殺菌消毒を行うことで、これらの病気はほとんど見られなくなったんだ。

水道水をより安全安心でおいしく飲む方法

このように、塩素のおかげで今は安全な水道水を飲むことができる。けれど、水道水に残っている塩素の「カルキ臭」が苦手な人も多いだろう。また、水を塩素消毒をした際に発生することがある「トリハロメタン」という物質には、発がん性があるともいわれているんだ。

したがって、より安全安心でおいしい水を飲むためには、いったん沸とうさせた水を利用したり、浄水器を設置したりする工夫も必要だろう。

水道水を沸とうさせ、ふたをせずに5〜15分弱火で煮沸すると塩素が蒸発して「カルキ臭」は抜ける。塩素以外に、トリハロメタンなどの有害物質を除去する効果もあるよ。

₁₈Ar アルゴン

ミニ周期表

アルゴンの大気中での濃度は約1％。
窒素、酸素に次いで、3番目に多く大気に含まれている元素なのじゃ。
イギリスの物理学者レイリーは大気中に未知の元素が含まれていることに気づき、1892年から研究をはじめた。
そして1894年、化学者ラムゼーとともに、その正体がアルゴンであることを突き止めたのじゃ。

アルゴンは、ヘリウムと同じ『希ガス』の仲間で、ほかの元素と化学反応を起こしにくい。
このため、『不活性ガス』とも呼ばれているよ。元素名も、ギリシア語で『不活発』という意味の"Argos"にちなんでいるんだ。
この不活性な性質は、白熱電球や蛍光灯など、身のまわりのさまざまなものに利用されているよ。

白熱電球にはタングステン（→120ページ）を用いた『フィラメント』という部品があり、そこに電気を流すと光を放つの。でも、発光すると同時に高温になるから、電球内に酸素があるとフィラメントが燃えつきてしまうわ。これを防ぐため、電球の中を真空にしたうえで、さらにタングステンが蒸発しないよう希ガスのアルゴンで満たしているのよ。

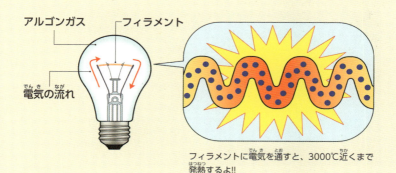

フィラメントに電気を通すと、3000℃近くまで発熱するよ!!

これは聞いた話じゃが、大学の研究室で実験を行う時、酸素や水に弱い薬品を使うことがある。そういう場合、酸素や水蒸気を含む空気をさえぎるため、実験容器の中をアルゴンで満たすのだそうじゃ。ただ、アルゴンは高価なので、可能な場合は、より安価な窒素を使うそうじゃよ。

19 K
カリウム

ミニ周期表

元素には、ほかの元素と化学反応を起こしやすい元素と、起こしにくい元素がある。このカリウムは化学反応が強く、単独のままでは存在することさえ難しい元素の一つなんだ。例えば、大気中ではすぐに酸素と反応して『二酸化カリウム』になる。この元素を純粋な状態でとり出すことにはじめて成功したのは、ナトリウムの発見者でもあるデービーで、1807年のことだったよ。

カリウムは植物の生長に欠かせない元素で、窒素、リンとともに肥料の三要素の一つとされているわ。植物は、地中のカリウムを根で吸い上げて、生長するために使っているの。このため草や木の灰にはカリウムが多く含まれていることから、元素名はアラビア語で『灰』を意味する言葉にちなんでいるの。

カリウムは植物だけでなく、ヒトや動物にとっても必須の元素なんじゃ。暑さ寒さや痛みなど、神経の情報を伝達するほか、筋肉を動かしたりするのにも使われておるぞ。ちなみに、ヒトの体内にあるカリウムは、『カリウムイオン』という状態になっておる。『イオン』とは、プラスかマイナスの電気を帯びた状態の原子を表す呼び名なのじゃ。

20ページで『原子は、原子核と外側の電子を合わせて、電気的にはプラスマイナスゼロになる』と説明したわよね？　でも、例えばカリウムは左上の図のように、原子の一番外に電子が一つしかないでしょ？　これが失われることで、プラスの電気を帯びた『陽イオン』になるの。おもな元素をイオン化しやすい順に並べてみたから、下を見てね。

おもな元素のイオン化傾向

K カリウム ＞ **Ca** カルシウム ＞ **Na** ナトリウム ＞ **Mg** マグネシウム ＞ **Al** アルミニウム ＞ **Zn** 亜鉛 ＞ **Fe** 鉄 ＞ **Ni** ニッケル ＞ **Sn** スズ ＞ **Pb** 鉛 ＞ **H** 水素 ＞ **Cu** 銅 ＞ **Hg** 水銀 ＞ **Ag** 銀 ＞ **Pt** 白金 ＞ **Au** 金

※カリウム、カルシウムなどイオン化しやすい元素は、水や酸素と化学反応を起こしやすい。

20 Ca カルシウム

ミニ周期表

『石灰（炭酸カルシウム）』という物質を含む石灰岩や大理石は、昔からエジプトのピラミッドなどで石材として利用されてきた。この石灰の粉に水を加えると固まるはたらきがあり、これを『セメント』と呼ぶぞ。セメントは5000年前の中国や4000年前のローマでも、建築に利用されておったのじゃ。

このカルシウムも、イギリスのデービーが1808年にはじめて単独でとり出すことに成功した元素だよ。元素名は、『石灰岩』を意味するラテン語の"Calx"にちなんでいるんだ。石灰と同じように、水を加えると固まる『石こう（硫酸カルシウム）』は、おもに彫刻などに利用されているよ。

カルシウムは、ヒトの骨を形づくる大切な元素よ。それだけでなく、筋肉を動かす際、脳から筋肉へ命令を伝える大切な役割を果たしているの。建物もヒトのからだも、カルシウムがなければグニャグニャになっちゃうかもね。

カルシウムは骨と歯の素だ!!

カルシウムは、ヒトのからだに欠かせない元素の一つだ。なぜなら、ヒトの骨や歯は「リン酸カルシウム」や「炭酸カルシウム」など、カルシウムの化合物からできているからだ。

カルシウムが不足すると、「骨粗しょう症」という病気になって、骨が折れやすくなってしまう。また、副甲状腺ホルモンという体内の物質が増えて、骨を溶かしてしまうよ。骨や歯をじょうぶにするには、カルシウムを多く含む食品を食べよう。カルシウムによって骨が再生され、骨が強くなるんだよ。

ヒトの歯はエナメル質の97%、象牙質の70%程度が、リン酸カルシウムを含む「ハイドロキシアパタイト」という物質からできている。人工のハイドロキシアパタイトは、ヒトのからだともよくなじむので、人工骨の材料にも使われているよ。

[カルシウムを多く含む食品]

牛乳 / 木綿豆腐 / 納豆 / ヨーグルト / ほうれん草 / イワシの丸干し

[歯の構造]

エナメル質 / 象牙質 / 神経

21 Sc スカンジウム

現在の周期表をつくったメンデレーエフが1869年に、この元素が存在することを予言したぞ。メンデレーエフは、この未知の元素がホウ素に似た性質をもつであろうと考えたのじゃ。その後、この元素を実際に発見したのはスウェーデンの化学者ニルソンで、1879年のことじゃった。

スカンジウムという元素名は、スウェーデンが位置するスカンジナビア半島の地名にちなんだものよ。でも、このスカンジウムこそ、メンデレーエフが予言した元素だということに気づいたのは、ニルソンの同僚のクレーベだったの。彼は、ニルソンとほぼ同時にスカンジウムを発見していたそうよ。

クレーベは、ホルミウム（→115ページ）などの発見者でもあるんだ。
それはさておき、スカンジウムを含む『ヨウ化スカンジウム』という化合物は、太陽光に似た明るい光を発する性質があるため、サッカー場など、スポーツ競技施設のナイター用照明などに利用されているよ。

22 Ti
チタン

1791年、イギリスのグレゴール牧師はメナカン谷という場所で未知の鉱石を発見し、これを『メナカイト』と名づけたの。日本では『チタン鉄鉱』と呼ばれる鉱石よ。その後、独自に研究して、チタンをはじめて元素として確認したのはドイツの化学者クラプロートで、1795年のことだったわ。

元素名は、ギリシア神話に登場する巨神『Titan』にちなんでおるのじゃ。しかし、クラプロートが発見したのは『酸化チタン』という化合物で、純粋なチタンが得られたのは、チタン発見から100年以上も経った1910年のことだったんじゃ。

チタンは軽くてじょうぶな金属だから、スペースシャトルの機体や潜水艦の船体などに使われているよ。ほかにも自転車のフレームやゴルフクラブ、金属アレルギーを起こしにくいことからめがねのフレームやネックレス、さらには人工関節の素材など、身近な所でも利用されているんだ。

SCIENCE CONAN ●元素の不思議

71

暮らしの中の二酸化チタン

チタンと酸素の化合物「二酸化チタン」は、日常のいろいろな場面で活躍しているよ!!

①白色の塗料として
白色の塗料や絵の具、食品や医薬品、化粧品の着色料などとして利用されている。チタンを含む白色絵の具は「チタニウムホワイト」と呼ばれているよ。

②光触媒として
二酸化チタンには、光が当たると汚れを分解する「光触媒効果」があるため、トイレの便器や家の外壁、自動車のサイドミラーなどに利用されているよ。

③色素増感太陽電池
「色素増感太陽電池」は、光エネルギーを電気エネルギーに変える太陽電池の一種。光を受ける側の電極に、二酸化チタンが用いられている。二酸化チタンだけだと紫外線の光エネルギーしか利用できないので、ハイビスカスなどの増感色素で染色して、より多くの光エネルギーを利用できるようにしているよ。

④日焼け止め
太陽光線には、日焼けの原因となる紫外線が含まれている。二酸化チタンは、この紫外線を吸収するため、日焼け止めクリームに配合されているよ。

東京理科大学川村研究室で製作された、色素増感太陽電池を搭載した模型自動車。

23 V バナジウム

この元素は、スペイン出身の鉱物学者デル・リオが、1801年にメキシコ産の鉱石から発見した。しかし、標本を送った研究機関から『クロム（→74ページ）ではないか』という指摘を受け、発表を見送ってしまったのじゃよ。その後1830年に、スウェーデンの化学者セフストレームが再発見したぞ。

セフストレームは、スカンジナビア神話に登場する美の女神 "Vanadis" にちなんで、この新元素をバナジウムと名づけたの。翌年、デル・リオが発見した元素もバナジウムと同じものだったことが確認され、晴れて彼も発見者として認められたわ。命名権は逃してしまったけれど、よかったわね。

バナジウムを鉄（→76ページ）に加えると、鉄の強さと硬さが増すんだ。この合金は、バネや工具などに利用されているよ。鋼の包丁がよく切れるのも、バナジウムのおかげだね。バナジウムはからだの中で脂肪の燃焼に関わっている元素で、そばや大豆に多く含まれているよ。

73

24Cr クロム

ベリリウムを発見したヴォークランが、1797年に『紅鉛鉱』という鉱石から発見した元素じゃ。酸素と合わさると、その状態によってさまざまな色になるため、元素名はギリシア語で『色』を意味する"Chroma"にちなんでおるぞ。宝石のルビーが赤く、エメラルドが緑色なのは、クロムが不純物として混ざっておるからなのじゃ。

めっきとステンレス

酸化しにくいクロムは、めっきに利用される。めっきというのは、酸化しやすい金属の表面に、電気や化学薬品の作用によって酸化しにくい金属を薄くつけて保護する技術だ。

また、鉄にクロムを混ぜると、「ステンレス」という合金ができる。ステンレスはほとんどさびないため、鉄道車両や機械をはじめ、鍋や食器などまで、幅広く使われているよ。

25 Mn
マンガン

酸素をはじめ、たくさんの元素を発見したスウェーデンのシェーレが、1774年に『軟マンガン鉱』という鉱石から発見したよ。同じ年、シェーレの友人ガーンが元素だけをとり出すことに成功し、二人とも発見者になったんだ。元素名は、発見のもとになった鉱石の名前にちなんでいるよ。

鉄（→76ページ）にマンガンを加えた『マンガン合金』は引っ張られるのに耐える力が強いから、鉄道のレールなどに利用されているの。銅（→81ページ）に亜鉛（→82ページ）とマンガンを加えた『マンガン青銅』はさびにくいから、船のスクリューなどに使われているわ。

マンガンの一番の用途は乾電池じゃろうな。乾電池には『マンガン乾電池』、『アルカリ乾電池』、ボタン型の『リチウム乾電池』などの種類があるのじゃが、電気が流れるのを助ける素材として、マンガンはどの電池にも利用されておるのじゃ。

SCIENCE CONAN ●元素の不思議

26 Fe
てつ
鉄

人類がもっとも多く利用している金属は、この鉄じゃ。およそ5000年も前から古代エジプトでは、宇宙からやってきた鉄を含む隕石『隕鉄』を鉄資源として利用しておったそうなんじゃ。その後、紀元前15世紀ごろに製鉄の技術を確立したヒッタイト人は、それまでの青銅器文化の国ぐにを押しのけ、現在のトルコ共和国があるアナトリア半島に王国を築いたのじゃ。

元素記号の"Fe"は、ラテン語で『鉄』を意味する"Ferrum"に由来しているよ。
日本語の『鉄』は『くろがね』とも読み、もとは『鐵』と書いていたんだ。
漢字の左側の『釒』は『金属』を表し、右側の『戴』は『テツ』という音を表すとともに、『赤黒い』様子を表しているよ。
鉄は白い金属だけど、さびると赤茶色になるから、このような漢字になったんだね。

鉄は磁石によくくっつく金属として有名ね。ヒトのからだにも欠かせない元素で、体内の鉄分が不足すると、貧血を起こしやすくなるの。だからみんなも、レバーやほうれん草を食べて、鉄分を補給してね。また、人類の暮らしも鉄なしでは成り立たないわ。ビルの鉄筋や鉄道のレールなど、至る所に鉄が使われているものね。

鉄は軟らかい金属じゃが、炭素を加えると硬い『鋼』になる。炭素の量を増やすと硬さが増す反面、しなやかさが減ってしまうから、用途に応じて使い分けることが大切なのじゃ。鉄鋼業界では、砥石を回転させる電動工具『グラインダー』で鋼の表面を削り、飛び散る火花で炭素量のちがいを見分ける『火花試験』というものが行われておるぞ。

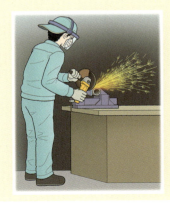

炭素量約0.1％

炭素量約0.2％

炭素量約0.5％

日本刀の切れ味の秘密は「炭素」にあり!!

日本刀は、「折れず、曲がらず、切れ味が鋭い」ことで知られている。でも、「折れない」ためには軟らかくなければならないし、「曲がらない」ためには硬くなければならない。この矛盾を解決したのが、炭素を含む量が少なくて軟らかい「芯鉄」を、炭素を含む量が多くて硬い「皮鉄」でくるむという方法だ。

芯鉄を皮鉄でくるんだら、熱しながら何度も槌でたたいて刀の形に打ち延ばす。刀の形になったら、高温に熱してから水につけ、急速に冷ますと鉄は硬くなる。その際、「焼刃土」を刃の側に薄く、棟の側に厚く塗っておくのがポイントだ。冷える速度のちがいから、刃の側を硬く、棟の側を軟らかく仕上げることで、より折れにくく、かつ曲がりにくい刀ができあがる。また、冷却速度のちがいから、表面に「刃文」が浮き上がり、日本刀に独特の美しさを加えることにもなっているんだ。

刃　　　刃文　　　棟

[日本刀のつくり]

①芯鉄を皮鉄でくるみ、打ち延ばす。　②刃と棟で厚さを変えて焼刃土を塗る。　③熱してから、一気に冷ます。

27 Co
コバルト

16世紀ごろ、ドイツの鉱山では、銀の鉱石に似ているのに、銀が含まれていない石がとれてしまって、鉱山で働く人たちが困っていたそうよ。そして彼らは、これはたぶん、いたずら好きな妖精 "Kobold" のせいだ、と考えたそうなの。

その鉱石から1735年に未知の元素を発見したのは、スウェーデンの化学者ブラントで、元素名は妖精の名にちなんでおる。コバルトは青い絵の具の原料となるので、青く澄んだ海の色を『コバルトブルー』と呼ぶのは、この絵の具の色にちなんでおるのじゃ。

コバルトブルー

コバルトは磁力に強く反応する金属だから、磁石の素材として使われることが多いんd。また『コバルト60』という物質からは、放射線の仲間の『ガンマ線』を得ることができるので、がんの放射線治療や、収穫したジャガイモが発芽するのを防ぐ目的などで利用されているよ。

SCIENCE CONAN ● 元素の不思議

28 Ni ニッケル

この元素も、鉱山で働く人たちを困らせてきたものの一つだよ。銅の鉱石とよく似ているのに、銅をとり出すことができない石があったため、これを悪魔のしわざだと考えた彼らは、その鉱石をドイツ語で『悪魔の銅』を意味する"Kupfernickel"と呼んだ。これがのちに、元素名のもとになったんだ。

1751年に、その鉱石から未知の元素を発見したのは、スウェーデンの化学者クロンステットじゃ。ニッケルは、ほかの元素と混ぜて合金として使われることが多く、鉄と一緒にクロムを混ぜると『ステンレス』に、また、銅を混ぜると50円硬貨にも使われている『白銅』になるんじゃ。

ニッケルとチタンを同じ割合で混ぜた合金は、変形しても、ある一定の温度以上に温めればもとの形に戻る『形状記憶合金』として有名ね。最近は、1000回以上もくり返し充電できる『ニッケル・水素充電池』や、ハイブリッドカーにも採用されている『ニッケル・水素蓄電池』が要注目よ。

₂₉Cu
銅(どう)

人類が1万年以上前から利用してきた金属がこの元素じゃ。紀元前4000年ごろからは鉱石から銅がとり出されるようになり、銅とスズ（→98ページ）を混ぜた『青銅』や、銅と亜鉛（→82ページ）を混ぜた『真ちゅう』などの合金は、紀元前3000年ごろからつくられておったようじゃ。

かつて銅は、ギリシアの"Cyprus"（キプロス）という島でとれたので、ラテン語では"Cuprum"（クプルム）と呼ばれ、これが元素記号のもとになっているよ。日本語の『銅』は『あかがね』とも読み、金属を表す左側の『金』と、『ドウ』という音と『赤い』様子を表す右側の『同』とで成り立っているんだ。

銅は電気をよく通す金属なので、電線などに利用されているわ。熱も伝わりやすいから、鍋に使われることも多いわね。銅には殺菌作用もあるのよ。銅が酸化すると、青緑色の『緑青』という『さび』が表面にできるの。アメリカの『自由の女神像』が緑色なのも、緑青におおわれているからなのよ。

SCIENCE CONAN ●元素の不思議

81

30 Zn 亜鉛(あえん)

亜鉛は、鉛(→131ページ)と似た性質をもつ元素じゃ。だから、『鉛』という字の前に、『似たような』という意味をもつ『亜』という字をつけて『亜鉛』と呼ぶのじゃよ。発見者などは不明じゃが、人類は紀元前4000年ごろから、亜鉛と銅との合金である『真ちゅう』を利用してきたのじゃ。

酸化を防ぐため、金属の表面を別の金属の膜でおおうことを『めっき』と呼ぶよ。亜鉛のおもな用途はめっきで、薄い鉄板を亜鉛でめっきしたものは『トタン』と呼ぶんだ。また、亜鉛はヒトのからだに欠かせない元素で、不足すると味覚がおかしくなったり、肌荒れしたりするよ。

2014年にノーベル賞を受賞した中村修二博士は、『窒化ガリウム』を用いた青色発光ダイオード(青色LED)を発明したことが評価されたの。その後、東北大学の川崎雅司教授は、『窒化ガリウム』より安価な『酸化亜鉛』を用いた青色LEDの開発に成功し、"青色LEDの再発明"と評価されているのよ。

82

31 Ga ガリウム

1875年にフランスの化学者ボアボードランが発見した元素よ。元素名は、発見者の母国フランスのラテン語名"Gallia"にちなんでいるの。窒素との化合物『窒化ガリウム』は青色LEDに使われているほか、ヒ素（→84ページ）との化合物『ガリウムヒ素』はBSアンテナや携帯電話などに利用され、現代社会には欠かせない元素なのよ。

32 Ge ゲルマニウム

1885年にドイツの化学者ヴィンクラーが発見した元素じゃ。元素名は、発見者の母国ドイツの古い国名"Germania"にちなんでおるぞ。ケイ素（シリコン）が利用されるようになる以前は、ゲルマニウムが半導体部品の一部となる『トランジスタ』に使われておった。ほかに、ペットボトルをつくる時などにも利用されておるんじゃぞ。

33As
ヒ素(そ)

ドイツの錬金術師マグヌスが、1250年ごろに発見したとされる元素じゃ。ヒ素を含む『雄黄』という鉱石は、古代エジプトのころから黄色い絵の具の原料として利用されてきたのじゃが、英語の元素名"Arsenic"は、雄黄のギリシア語名に由来しておるそうなのじゃ。

日本語の元素名は、この元素を含む『砒石』という鉱石の名前にちなんでいるようだね。ヒ素は昔から毒物としても知られ、犯罪に使われてきたよ。また日本でも、粉ミルクにヒ素が混入して多数の死者が出た『森永ヒ素ミルク中毒事件（1955年）』など、ヒ素にまつわる痛ましい事件が起こっているんだ。

ヒ素は毒性が強いことから、農薬やネズミの駆除薬として使われてきたわ。けれど、今もっとも重要な使い道は、ガリウムと合わせて『ガリウムヒ素』をつくることね。ガリウムのところでも説明したけれど、『ガリウムヒ素』は携帯電話などのハイテク機器には欠かせない物質となっているのよ。

LEDに欠かせない "ガリウムヒ素"

発光ダイオード（LED）は半導体（→56ページ）の一種で、材料によって発光する色が決まっている。ガリウムとヒ素の化合物「ガリウムヒ素」は、赤い光のLEDをつくるのに欠かせない化合物なんだ。

LEDが開発された当初、色は赤と黄緑だけだった。その後、1993年に青色、1995年に緑色が開発され、『光の三原色』がすべてそろった。三原色を混ぜ合わせることで、あらゆる色を表現できるようになったんだ。また、この青色LEDの表面に蛍光塗料を塗ることで、白色や電球色などに光らせることもできる。これにより、LED照明が広く使われるようになったよ。

LED照明は、これまでの白熱電球と比べて消費電力が少なく、寿命も長い。このため、家庭の照明や懐中電灯、液晶パネルのバックライトや交通信号機など、今や身のまわりに欠かせない照明となっているんだ。

[光の三原色]

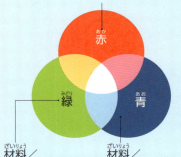

材料／ガリウムヒ素など
赤
緑
青
材料／セレン化亜鉛など
材料／窒化ガリウムなど

信号機
大型カラーディスプレイ
イルミネーション

34 Se セレン

スウェーデンの化学者ベルセリウスが、マンガンの発見者ガーンとともに1817年に発見した元素よ。この元素より先に発見されたテルル（→99ページ）と似ていたことから、元素名は、テルルが『地球』に由来することにならい、ギリシア神話の月の女神『セレネ』にちなんでいるの。

セレンは、光を当てると電気を通しやすくなる不思議な性質をもっておる。この性質を利用して、コピー機の『感光ドラム』という部品や、カメラの『露出計』という部品などに利用されておるのじゃ。ただ、セレンには毒性があるため、現在は多くの用途で代わりの物質に置き換えられておるようじゃ。

化合物の『二硫化セレン』には殺菌作用があって、しかも頭皮からは吸収されないから、ふけ防止シャンプーの成分として利用されているよ。セレンはヒトの体内でも健康を維持するための役割をもっているんだけど、日本人の場合は通常の食事で必要な量が充分に得られているみたいだよ。

86

35 Br
しゅう そ
臭素

1826年、フランスの化学者バラールが実験によって赤褐色の液体を得て、これを未知の元素だと発表したよ。この元素は、塩素に似た不快なにおいがするため、英語の元素名"Bromine"は、ギリシア語で『悪臭』を意味する言葉にちなんでいるよ。日本語の元素名も、この『悪臭』に由来するんだ。

実はドイツの化学者レーヴィヒが、前年の1825年にこの新元素を発見していたそうなんだけど、バラールが先に論文を発表したため、発見者になれなかったの。残念ね。臭素はかつて薬としても利用されていたけれど、猛毒で、環境にも悪影響を与えるため、あまり使われなくなってきているわ。

デジタルカメラができる前、写真はフィルムを使って撮影しておった。このフィルムに、『臭化銀 "Silver Bromide"』という化合物が塗られておったのじゃよ。アイドルの写真を『ブロマイド』と呼ぶのは、臭化銀の英語名にちなんでおるのじゃ。

36 Kr クリプトン

1898年に、イギリスの化学者ラムゼーとトラバースがネオンに次いで空気中から発見した元素よ。クリプトンは無色、無臭の気体で、空気中には100万分の1程度のわずかな量しか含まれていないから、発見するのはとても大変だったそうよ。

見つけ出すのに苦労したことから、元素名はギリシア語で『隠れる』を意味する"Kryptos"にちなんでいるよ。クリプトンはアルゴンと同様に、ほかの元素と化学反応を起こしにくい不活性ガスなんだ。白熱電球にクリプトンを用いると、アルゴンよりもフィラメント（→65ページ）が長持ちするよ。

ところでみんなは、1メートルという長さの基準がどのようなものか、知っておるかな？
長さの単位『メートル』は1960年から23年間、クリプトンが出すオレンジ色の光の波長を用いて定義されておったんじゃ。
そして現在の『メートル』の定義は、光が真空を伝わる距離をもとにしておるぞ。

88

37 Rb
ルビジウム

1861年、ドイツの化学者ブンゼンと物理学者キルヒホフは『リチア雲母』という鉱石を燃やし、鉱石から発する光を観察した。そして、未知の元素が発する赤い光線を発見したよ。元素名は、ラテン語で『暗赤色』を意味する"Rubidus"にちなんでいるんだ。『ルビジウム87』という物質は、隕石の年代を測定する際などに利用されているよ。

38 Sr
ストロンチウム

ナトリウムを発見したイギリスのデービーが、1808年に『ストロンチアン石』という鉱石からとり出すことに成功した元素じゃ。元素名は、鉱石の産出地であるイギリスの"Strontian"にちなんでおる。元素は、加熱すると発する色がそれぞれ決まっておるのじゃが、ストロンチウムは赤い光を発するため、赤い花火をつくる原料となるのじゃ。

39 Y イットリウム

スウェーデンのイッテルビー村で見つかった新種の鉱石から、1794年にフィンランドの化学者ガドリンが発見した元素よ。元素名は地名に由来しているわ。『ガドリン石』と呼ばれるこの石からは、テルビウム（→114ページ）などの元素も発見されているの。アルミニウムと酸素を加えた化合物は、レーザー光線の発生源として使われているわ。

40 Zr ジルコニウム

1789年に、ドイツのクラプロートが宝石の『ジルコン』から発見したよ。『ジルコン』はアラビア語で『金色』を意味しているけど、ジルコンには黄色のほかに赤や緑などの石があり、中でも透明な石はダイヤモンドの代用品にもなっているんだ。ジルコニウムでつくったセラミックスはじょうぶなので、包丁の刃や人工の歯に利用されているよ。

41 Nb ニオブ

この元素は、イギリスの化学者ハチェットが1801年に発見し、『コロンビウム』と命名したの。けれど、当時はタンタル（→119ページ）と同じ元素だとされ、名前もとり消されてしまったわ。その後、タンタルとは別の元素ということが確かめられたけれど、元素名は、ギリシア神話の神タンタロスの娘『ニオベ』にちなんでニオブと命名されたの。

42 Mo モリブデン

塩素などを発見したシェーレが、1778年に『輝水鉛鉱"Molybdenite"』という鉱石から発見したぞ。元素名は、鉱石の名にちなんでおる。鉄にクロムとモリブデンを加えた『クロムモリブデン鋼』という合金は強度にすぐれているため、自転車のフレームに利用されることが多く、日本では『クロモリ』の略称で呼ばれておるのじゃ。

43 Tc テクネチウム

テクネチウムは、人類がはじめて人工的につくった元素じゃ。1937年にイタリア出身の物理学者セグレが、鉱物学者ペリエとともに、モリブデンを使って合成したのじゃよ。元素名は、『人工の』を意味するギリシア語にちなんでおる。
この元素は、がんの存在や脳の血管の状態を調べる診断薬などに利用されておるぞ。

44 Ru ルテニウム

1828年にドイツ出身の化学者オサンがロシアで産出した鉱石を調べ、その存在を予測した元素だよ。元素名はロシアのラテン語名 "Ruthenia" にちなんでいるんだ。
その後、1844年にロシアの化学者クラウスが、この新元素を発見したよ。オスミウム（→122ページ）との合金はじょうぶなので、万年筆のペン先に用いられているんだ。

₄₅Rh
ロジウム

1803年にイギリスの化学者ウォラストンが発見した元素よ。白金(→124ページ)の鉱石から溶け出した赤い溶液から発見されたので、元素名は『バラ色』を表すギリシア語にちなんでいるの。自動車の排ガスをきれいにする装置に使われているほか、美しい銀色の輝きをいかして、アクセサリーのめっきにも利用されているわ。

₄₆Pd
パラジウム

イギリスのウォラストンが、ロジウムと同時に白金(→124ページ)の鉱石から発見したぞ。元素名は、前年に発見された小惑星"Pallas"にちなんでおる。自動車の排ガスを浄化する装置に使われているほか、虫歯の治療にも使われておるぞ。パラジウムは自らの体積の935倍の水素を吸収するため、水素を貯蔵する目的にも使われておるのじゃ。

47 Ag
銀（ぎん）

この金属は、太古から装飾品などとして利用されてきたため、発見者は不明。元素記号は『輝く』を意味するラテン語 "Argentum"（アルゲントゥム）にちなんでおる。日本語の『銀』は『しろがね』とも読み、金属を表す左側の『金』と、『ギン』という音と『変化しない』様子を表す右側の『艮』とで成り立っておるのじゃ。

つまり『銀』という字は、この金属がさびにくい金属だということを示しているんだ。ほかにも、銀にはすぐれた性質があり、どの金属よりも熱をよく伝え、電気をよく通し、光をよく反射するよ。金（→126ページ）の次によく延びる金属で、わずか1gの銀を約2200mの糸状に延ばすことができるんだ。

金と銀を比べると、今は金の方が価値が高いけれど、鉱石から銀をとり出す技術が完成されていなかった昔には、金よりも銀の価値が高かったのよ。その後、技術が進歩して銀の産出量が金より増えると、貨幣の主流も金貨から銀貨に変わったわ。だから、お金を扱う会社を『銀行』と呼ぶようになったのよ。

銀食器と宝飾品

金や銀など美しい光沢のある金属は、昔から人びとに貴重品として大切にされてきた。特に銀は、鉱石からとり出すのが難しかったので、昔は金より価値が高いものとされていたんだ。

そのためヨーロッパでは、高い身分の人びとしか、銀製の食器を使うことができなかった。王族や貴族は自分たちの身分の高さを誇るために、ナイフやフォーク、皿やポット、ろうそくの燭台など、さまざまな銀器をつくって食卓を飾ったよ。

指輪などの宝飾品として銀を利用する場合、純銀では軟らかすぎて傷がつきやすく、酸化して黒ずみやすいことが欠点になる。このため、ロジウムなど、黒ずみにくいほかの金属との合金にしたり、めっき加工をしたりするのが一般的なんだ。

[いろいろな銀製品]

₄₈Cd カドミウム

1817年にドイツの化学者シュトロマイヤーが、『菱亜鉛鉱』という鉱石から発見したぞ。菱亜鉛鉱のギリシア語名"Kadmeia"にちなんで命名されたのじゃ。ラジコンに使われるニッカド電池など、多くの工業製品に利用されておる。だがこの元素は有害で、かつて日本ではカドミウムの環境汚染により発生したイタイイタイ病が大問題となったのじゃ。

環境汚染の原因"重金属"

鉄よりも重い金属を「重金属」と呼ぶよ。カドミウムや水銀などの重金属は、環境汚染の原因となり、人体に悪影響を与えることがある危険な物質だ。そのため、日本では「水質汚濁防止法」や「大気汚染防止法」で、こうした物質を工場から河川や海、大気中に排出することを厳しく規制しているんだ。

また、欧州連合（EU）では2006年にカドミウム、水銀、鉛などを「特定有害物質」に指定した。これらを材料に含んだ電子・電気機器を、EU域内で販売することを禁じているよ。

重金属による海の汚染は、食べ物を通して人体に影響を与える。

49 In インジウム

1863年にドイツの化学者ライヒと鉱物学者リヒターが発見した元素だよ。元素が発する光が濃い藍色だったことから、元素名はラテン語で『藍色』を意味する"Indicum"にちなんでいるんだ。コンピュータの基板などに使うケイ素（シリコン）やゲルマニウムには、電気の流れをよくするために、インジウムが少量加えられているよ。

液晶ディスプレイの必需品

　酸化インジウムと酸化スズを合わせた「酸化インジウムスズ」は、電気を通す「導電性」をもつことに加えて、透明な素材であることから、液晶ディスプレイや有機ELなど、フラット・パネル・ディスプレイ向けの電極としてよく使われているよ。
　しかし、インジウムは自然界に存在する量が少ない希少金属だ。だから値段が高く、資源枯渇の心配もあるため、大量に使うことができない。そのため、液晶ディスプレイなどの廃品の回収・再利用や、インジウムの代わりになる酸化亜鉛などの材料の開発が進められているよ。

50 Sn
スズ

スズは人類がもっとも古くから利用してきた金属の一つよ。だから、発見者は不明なの。銅との合金の青銅は、武器などをつくるのに利用されてきたわ。元素記号の"Sn"は、ラテン語で『スズ』を意味する"Stannum"に由来するの。日本語の『スズ』の語源には諸説があって、はっきりしていないわ。

ガラスは電気を通さないけど、『酸化スズ』でガラスの表面をコーティングすると透明なまま電気を通すようになるんだ。この性質は飛行機のフロントガラスに利用され、電気を通して温めることで、ガラスの凍結を防いでいるよ。鉄にスズをめっきした『ブリキ』は缶詰やおもちゃに利用されているね。

金属のままのスズや酸化スズに比べて、『有機スズ化合物』と呼ばれる物質の仲間は非常に毒性が高いのじゃ。かつては、船の船体にこびりついたフジツボなどをとり除くための薬品として利用されておったが、今は生き物に悪影響を与える化学物質『環境ホルモン』として使用が規制されておるぞ。

51 Sb アンチモン

この元素もまた、古くから人類に利用されてきた。古代エジプトの女王クレオパトラは、この元素を含む『輝安鉱』という鉱石の粉末をアイシャドーとして使っていたそうじゃ。元素記号"Sb"は、『輝安鉱』のラテン語名"Stibium"にちなんでおる。『三酸化アンチモン』を繊維に混ぜると燃えにくくなるため、耐火カーテンなどに利用されておるぞ。

52 Te テルル

1782年にオーストリアの化学者ミュラーが発見した元素よ。元素名は、ジルコニウムなども発見したクラプロートが、『地球』を意味するラテン語"Tellus"にちなんで1798年に命名したの。テルルには、光が当たると電気を伝えやすくなる性質があるから、ソーラーパネル用の太陽電池や光ディスクなどに利用されているわ。

SCIENCE CONAN ●元素の不思議

99

53 I
ヨウ素(そ)

1811年、フランスの化学者クールトアが海藻の灰に酸を加えたところ、スミレ色の気体が発生し、暗紫色の固体が残った。その物質をイギリスの化学者デービーが調べ、新元素だということを確かめたんだ。英語の元素名"Iodine"は、『スミレ色』を表すラテン語にちなんでいるよ。

この元素のドイツ語名は"Jod"というぞ。日本の元素名は、このドイツ語名にちなんでおるのじゃ。ヨウ素はヒトのからだに欠かせない元素であるほか、殺菌作用があることをいかして、消毒薬として利用されておる。その消毒薬を『ヨードチンキ』と呼ぶのも、ドイツ語の元素名に由来しておるんじゃ。

ヨウ素を溶かした液体にデンプンを加えると、青紫に色が変わるの。これを『ヨウ素デンプン反応』と呼ぶのよ。だから、二つに切ったジャガイモの断面にヨウ素を溶かした液体をたらすと、ジャガイモのデンプンとヨウ素が反応して、断面が紫色に変色する様子が観察できるわ。

ヨウ素のうがい薬

カゼの予防には、うがいや手洗いが欠かせない。外から家に帰ったら、うがい薬でうがいをしている人も多いだろう。とこで、うがい薬には、大きく分けて殺菌消毒用と鎮痛消炎用があるのを知っているだろうか？

殺菌消毒用のうがい薬のおもな成分は、ヨウ素とポリビニルピロリドンからなる物質ポビドンヨード。のどや口の中の細菌を殺菌し、カゼの予防や口内炎の治療などに使われているよ。

ヨウ素に殺菌作用があることは古くから知られていて、ヨウ素をアルコールに溶かした「ヨードチンキ」が消毒液として使われてきた。でも、ヨードチンキは人体への刺激が強いため、より刺激が少ないポビドンヨードが開発されたんだ。

一方、鎮痛消炎用のうがい薬には、炎症を抑える作用のあるアズレンスルホン酸ナトリウムや塩化リゾチームなどがおもな成分として用いられているよ。

[いろいろなカゼの予防法]

54 Xe キセノン

キセノンは、ほかの元素と化学反応を起こしにくい希ガスの仲間で、無色無臭の気体よ。1898年にイギリスのラムゼーとトラバースがネオン、クリプトンに次いで空気中から発見したの。元素名は、『奇妙なもの』や『なじみにくいもの』を意味するギリシア語"Xenon"にちなんでいるわ。

キセノンを封じ込めた『キセノンランプ』は、太陽光に近い明るい照明なのじゃ。そのため、スライドの投影機や集魚灯、医療器具の内視鏡などに使われておるぞ。

日本の小惑星探査機『はやぶさ』と『はやぶさ2』に搭載されている『イオンエンジン』では、機体を前に進めるための推進剤としてキセノンが利用されているよ。

夜道を照らすキセノンランプ

　自動車のヘッドライトには、ハロゲンランプが多く使われている。ハロゲンランプは一般の白熱電球と同じように、フィラメントに電気を通して発光させるよ。電球内に封入したハロゲンガスにフィラメントを長持ちさせる効果があるので、寿命が長いのが特長だ。

　このハロゲンランプに代わって、2000年ごろから自動車のヘッドライトに使われはじめたのがキセノンランプ。キセノンガスや水銀、ヨウ化金属などを封入した電球に電気を流すことで発光させるランプだ。キセノンランプは、ハロゲンランプとちがってフィラメントを使用しないため、より寿命が長いという利点がある。また、ハロゲンランプに比べると約3倍の明るさだといわれているよ。

　最近は、LEDを使ったさらに長持ちするランプも登場しているけれど、キセノンランプほど明るくないのが弱点だ。

ハロゲンランプ
フィラメントに電気を通し白熱させ、発光させる。

キセノンランプ
二つの電極のあいだに高電圧で放電し、発光させる。

SCIENCE CONAN ●元素の不思議

55Cs
セシウム

金属や食塩を火で加熱すると、銅は青緑色、ナトリウムは黄色という具合に、それぞれの元素に固有の色で光る。これを『炎色反応』と呼ぶぞ。つまり炎の色を調べれば、元素の種類を特定できるのじゃ。そのための実験装置『分光器』は、ドイツのブンゼンとキルヒホフが開発したぞ。

ブンゼンとキルヒホフが『分光器』を開発してから、わずか1年後の1860年、彼らは地下からわき出た鉱泉水に含まれている元素の分析を行い、未知の元素を発見した。その新元素が青い光を発していたことから、元素名は『青色』を意味するラテン語 "Caesius" にちなんで名づけられたんだ。

セシウムは、ほかの元素と化学反応を起こしやすい元素で、粉末状のものを空気中に置いておくと、酸素と反応して自然発火してしまうわ。水とも爆発的に反応して、水素を発生させるので、消防法では危険物に指定されているの。用途として有名なのは、次のページで紹介している『原子時計』ね。

原子時計と「うるう秒」

 4年に1回の「うるう年」は、地球の公転日数と1年の日数のズレを修正するためのものだ。そして、それと同じようなことが、実は秒単位の時間の世界でも行われているよ。

 1日は24時間で、その基準になっているのは地球の自転だ。地球が1回自転する長さを1日＝24時間とし、1時間を60分割して1分、1分を60分割して1秒としている。この考え方にもとづく時刻を「世界時」と呼ぶよ。

 ところが、世の中には地球の自転とは別の基準による「1秒」もある。それは、セシウム133原子の振動を利用して時間を計る「原子時計」で計った1秒だ。原子時計はとても正確なので、1967年には原子時計の1秒が「正式な1秒」に定められた。この1秒をもとにした時刻を「国際原子時」と呼ぶよ。

 地球の自転の速さは、実は速くなったり遅くなったりしていて一定ではない。このため、時間が経つと「国際原子時」と「世界時」のあいだにズレが生じてしまうんだ。その修正のため、定期的に「国際原子時」に加えられる1秒を「うるう秒」と呼ぶよ。ふだん私たちが使っている時計は、「うるう秒」によって修正された「協定世界時」が基準になっているんだ。

[うるう秒の考え方]

8:59:59

うるう秒
8:59:60

9:00:00

日本では数年に1度、8時59分59秒と9時00分00秒のあいだに、うるう秒「8時59分60秒」が入れられている。

原子力発電所の放射性廃棄物

セシウムの仲間（同位体）にセシウム137という物質がある。セシウム137は自然界には存在しない物質で、ウランを材料にした核兵器の爆発や、ウランを燃料とする原子力発電所の操業によって生み出される。

ベータ線やガンマ線という放射線を発する性質をもつセシウム137は、「放射性物質」の一種だ。放射線はきちんと管理して使えば、消毒や病気の治療に役立つが、大量または長期間浴び続けると人体に悪影響を与えることもある。セシウム137の場合、体内に入ると筋肉に蓄積され、体外に排出されるまで100〜200日ほどかかるので、そのあいだずっと放射線を浴び続ける危険性があるのだ。

放射性物質の量が半分に減る時間を「半減期」と呼ぶ。セシウム137の半減期は約30年もあり、いったん自然界に放出されると長期間、影響を与え続けることになる。そのため、原子力発電所から発生した、高い放射能をもつ放射性廃棄物を安全に管理することが、現在の大きな課題となっているよ。

[いろいろな放射性物質]

名前	放出される放射線	半減期
トリウム232	アルファ波、ベータ波、ガンマ波	140.5億年
ウラン238	アルファ波、ベータ波、ガンマ波	45億年
カリウム40	ベータ波、ガンマ波	13億年
炭素14	ベータ波	5730年
セシウム137	ベータ波、ガンマ波	30年
ストロンチウム90	ベータ波	29年
コバルト60	ベータ波、ガンマ波	5.3年
セシウム134	ベータ波、ガンマ波	2年
ヨウ素131	ベータ波、ガンマ波	8日
ラドン220	アルファ波、ガンマ波	55.6秒

56 Ba
バリウム

ナトリウムなど、生涯で6個も元素を発見したイギリスの化学者デービーが、1808年にはじめて単体でとり出すことに成功した元素じゃ。バリウムを含む鉱石は重いことから、元素名は『重い』を意味するギリシア語"Barys"にちなんでおる。ペンキや漂白剤のほか、炎色反応で緑色を示すことから、緑色の花火にも利用されておるぞ。

病気の発見に役立つバリウム

エックス線という電磁波を使ってからだの内部を撮影し、病気などの異常を見つける検査をレントゲン検査という。胃がんなどの早期発見のための胃レントゲン検査を行う場合には、事前に通称「バリウム」、正しくは「硫酸バリウム」の水溶液を飲む。硫酸バリウムにはエックス線を通しにくい性質があるため、体内の異常をはっきり撮影できるようになるからだ。

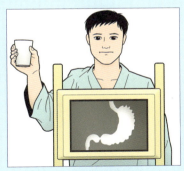

バリウムが付着すると、胃の形がひだの部分まで白くはっきりとエックス線画像に写る。

ランタノイド系の周期表

原子番号57番から71番までの15元素はよく似た化学的性質をもち、「ランタノイド元素」と呼ばれているよ。

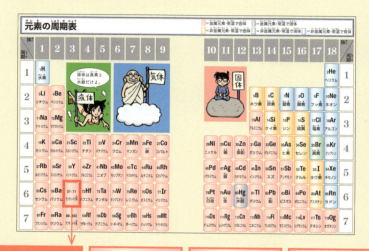

| 57〜71 ランタノイド系 | 57 La ランタン | 58 Ce セリウム | 59 Pr プラセオジム |

| 64 Gd ガドリニウム | 65 Tb テルビウム | 66 Dy ジスプロシウム | 67 Ho ホルミウム |

ランタノイド元素に原子番号21番スカンジウム"Sc"と39番イットリウム"Y"を加えた17元素をまとめて、『希土類』や『レアアース』と呼ぶよ。希土類は蓄電池や発光ダイオード（LED）などに欠かせない元素だけど、鉱石などから元素そのものを単体でとり出すことが難しいため、金や銀と同じくらい貴重で高価な元素なんだ。

SCIENCE CONAN ● 元素の不思議

60Nd	61Pm	62Sm	63Eu
ネオジム	プロメチウム	サマリウム	ユウロピウム

68Er	69Tm	70Yb	71Lu
エルビウム	ツリウム	イッテルビウム	ルテチウム

57 La
ランタン

この元素はスウェーデンの化学者モサンデルが、次のセリウムを含む鉱物から1839年に発見したものよ。セリウムの陰に隠れてなかなか見つけられなかったことから、ギリシア語で『人目を避ける』という意味の"Lanthanein"が語源となっているの。ランタンからルテチウムまでの元素は、まとめて『ランタノイド』と呼ばれているわ。

58 Ce
セリウム

セリウムは1803年に発見された元素じゃ。スウェーデンの化学者たちとドイツの化学者が同じ年に同じ場所で別べつに発見したことから、第一発見者をめぐり、国同士の争いにまで発展した最初の元素となったのじゃ。その当時発見された『セレス』という星にちなみ"Ceria"と名づけられたのじゃが、のちに現在の名称が採用されたのじゃよ。

110

59 Pr プラセオジム

かつての周期表には『ジジミウム』という元素があったけれど、19世紀半ばに姿を消した。なぜかというと、ジジミウムはいくつかの元素が混ざったものだったことが明らかになったからだ。その発見をしたのはオーストリアの化学者ヴェルスバッハで、1885年にジジミウムから、プラセオジムと次のネオジムをとり出すことに成功したよ。

60 Nd ネオジム

プラセオジムや、ネオジムの元素名にある『ジム』はジジミウムを略した言葉で、それぞれ緑色(プラセ)＋ジム、新しい(ネオ)＋ジムという意味があるよ。
ネオジムの用途として重要なのは、磁力が強いネオジム磁石の原料になることだ。
ネオジム磁石は携帯電話、エレベーター、電車など身近な所で幅広く使われているよ。

61 Pm
プロメチウム

1947年にアメリカの化学者らが、原子炉で核分裂したウランの生成物からとり出すことに成功した元素じゃ。元素名はギリシア神話で人類に火を授けた巨人プロメテウスにちなんでおるぞ。火は人類に、豊かな生活と災いの両方をもたらしたが、原子力の開発もまた、夢のエネルギーと同時に核戦争の恐怖をもたらしたと言えるかもしれんのぉ。

62 Sm
サマリウム

ガリウムを発見した化学者ボアボードランが、1879年に『サマルスキー石』という鉱石からとり出すことに成功した元素よ。元素名は鉱石の名にちなんだものだけど、『サマルスキー』がそもそもロシアの鉱山技師の名前だったことから、サマリウムは人名から元素名がついたはじめての元素になったの。磁石の成分として使われているわ。

63 Eu ユウロピウム

1896年、フランスの化学者ドマルセーは、純粋なサマリウムと考えられていた物質の中に、未知の元素が含まれていることを発見。そして、1901年にとり出すことに成功したのが、この元素だよ。
元素名は、地名の『ヨーロッパ』にちなんだものなんだ。ユウロピウムは蛍光インクや、液晶テレビなどに活用されているよ。

64 Gd ガドリニウム

ボアボードランがサマリウムを発見したことを知ったスイスの化学者マリニャックは、翌1880年に自身でもサマルスキー石で実験を行い、別の新しい元素が含まれていることに気づいたの。その後、ボアボードランも未知の元素の存在を認め、イットリウムを発見した化学者ガドリンにちなんで、新元素をガドリニウムと名づけたの。

SCIENCE CONAN ●元素の不思議

65 Tb
テルビウム

ランタンの発見者モサンデルはイットリウムが発見されたガドリン石の研究を行い、1843年にガドリン石から２種類の新元素を発見したの。ガドリン石が発見されたスウェーデンのイッテルビー村にちなみ、一つはテルビウム、もう一つはエルビウムと命名されたわ。テルビウムを含む合金は、光磁気ディスクの素材に使われているの。

66 Dy
ジスプロシウム

ガリウムとサマリウムを発見したボアボードランによって、1886年に『ホルミウム化合物』という物質からとり出された元素だよ。その作業がとても難しかったため、新元素はギリシア語で『近づき難い』を意味する言葉から名づけられたんだ。ジスプロシウムは、光磁気ディスクや磁石などの材料として利用されているよ。

67 Ho ホルミウム

1879年、スウェーデンの化学者クレーベは、純粋なエルビウムと考えられていた物質から二つの新元素を発見した。一つは次のページで紹介するツリウムで、もう一つがこのホルミウムじゃ。元素名は、スウェーデンの首都ストックホルムのラテン語名"Holmia"に由来したものじゃ。希少な元素じゃが、医療用レーザーなどに利用されておるぞ。

68 Er エルビウム

エルビウムは、モサンデルが発見した元素の一つ。けれど、1843年当時のエルビウムは純粋なものではなかったの。その後の研究で、ホルミウムなど別の元素が6種類も含まれていたことが明らかになったのよ。純粋なエルビウムが得られたのは1879年。そして現在は、光通信に使う光ファイバーに欠かせない素材となっているわ。

115

69 Tm ツリウム

1879年にクレーベがホルミウムと同時に発見した元素じゃ。元素名の由来には諸説あるのじゃが、スカンジナビア半島の古名"Thule"にちなんだもの、という説が有力じゃ。"Thule"はラテン語で『最北の地』を意味するそうじゃぞ。
ツリウムは、エルビウムと同じく、光ファイバーなどに利用されておるぞ。

70 Yb イッテルビウム

ホルミウムなどと同じく、純粋なエルビウムと考えられていた物質から発見された新元素よ。ガドリニウムを発見したマリニャックが、それ以前の1878年に発見した元素なの。
元素名は、テルビウムなどと同じく、スウェーデンのイッテルビー村にちなんだものよ。イッテルビウムはガラスの着色やレーザーなどに利用されているわ。

₇₁Lu
ルテチウム

フランスの化学者ユルバンが、1907年に発見した元素じゃ。元素名は、フランスの首都パリの古名"Lutetia"にちなんで、ユルバンが命名したぞ。ネオジムなどを発見したヴェルスバッハも、ほぼ同じ時期にこの元素を発見し、『カシオペイウム』と名づけたのじゃが、認められなかったようじゃ。

ルテチウムは、現在のところ、ほとんど用途のない元素なんだ。皿や器などの陶磁器に代表されるセラミックスに『酸化ルテチウム』を加えて、セラミックスの耐熱性を高める研究がされているけれど、残念ながら、まだ実用化には至っていないんだ。

ランタンからルテチウムまでのランタノイド元素に、原子番号21番スカンジウムと39番イットリウムを加えた17元素を『希土類』や『レアアース』と呼ぶぞ。同じ鉱石の中に複数の元素が含まれていて、一つだけをとり出すことが難しいことから、このように呼ばれておるのじゃ。

72 Hf
ハフニウム

『ランタノイド元素は全部で何種類あるのか?』という謎が解明されていなかった当時、未発見だった72番の元素も『きっとランタノイド元素だろう』と考える化学者が多かったそうじゃ。しかしデンマークの物理学者ボーアは、72番元素はジルコニウムに似たもののはずだと予測したのじゃ。

そこで、ボーアが設立した研究所の研究員たちはジルコニウムを含む鉱石『ジルコン』の分析をくり返し、1923年にジルコニウムに似た新しい元素を発見したの。元素名は、研究所があるデンマークの首都コペンハーゲンのラテン語名 "Hafnia" にちなみ、ハフニウムと名づけられたのよ。

原子力発電所では、ウラン(→142ページ)を核分裂させることによってエネルギーを得ている。核分裂をすると原子核から中性子が飛び出し、連鎖して核分裂が起こるんだ。ハフニウムは中性子をよく吸収するので、この連鎖が過剰になりすぎないように抑える『制御棒』の材料として利用されているよ。

73 Ta
タンタル

1802年にスウェーデンの化学者エーケベリが鉱石から発見した元素じゃ。じゃが、この時、エーケベリが発見したのは、化学的な性質がよく似ているニオブが混ざった物質だったのじゃ。その後、1846年にドイツの鉱物学者ローゼが、純粋なタンタルをとり出すことに成功したぞ。

元素名はギリシア神話に登場するタンタロス王にちなんでいるよ。タンタロス王は主神ゼウスの怒りに触れ、目の前にある水や果実を口にすることができないという、じらされる罰を科された。タンタルを発見するまで困難な実験を重ねたエーケベリは、自分の姿をタンタロス王に重ねたんだね。

タンタルは希少な金属『レアメタル』の一つよ。ヒトのからだには無害なので、人工骨などに利用されているわ。また、産業的にもとても重要な物質で、スマートフォンやパソコンなどのハイテク機器では、タンタルを利用した小型の『コンデンサ』という部品が欠かせないものとなっているの。

74 W タングステン

タングステンは、2種類の鉱石の研究によって発見された元素じゃ。まず、モリブデンの発見者でもある化学者シェーレが、1781年に灰重石から未知の元素を発見した。灰重石は当時、スウェーデン語などで『重い石』を意味する"Tungsten"と呼ばれていたため、その鉱石名を元素名としたのじゃ。

1783年には、スペインのエルヤル兄弟が鉱石の『ウォルフラマイト』からシェーレよりも純粋な状態で元素をとり出すことに成功し、これを"Wolfram"と名づけたよ。現在は、国際的にタングステンと呼ばれているけれど、元素記号が"W"なのはこの"Wolfram"に由来しているんだ。

タングステンは、金属の中でもっとも熱に強い性質などをいかし、LED照明が普及する前は、白熱電球の『フィラメント』という部品によく利用されていたわ。また、『炭化タングステン』はとても硬い物質なので、金属加工用ドリルなどの切削用工具に用いられることが多いの。

白熱電球の実用化の裏に日本の竹あり!!

LED照明が普及したため、最近は使われることが少なくなってきたけれど、白熱電球は長いあいだ照明器具の主役だった。その白熱電球のフィラメントに使われているのが、タングステンだ。でも、白熱電球が発明された当初、フィラメントには炭素が使われていたんだよ。

白熱電球の研究をしていたアメリカの発明家エジソンは、はじめは「すす」を塗った木綿糸をフィラメントに使っていた。しかし寿命がとても短く実用的ではなかったので、より長持ちするフィラメントの研究にとり組んだ。そして、世界中から集めた素材の中から選んだのは、何と日本の竹だったよ。

1897年、エジソンは京都から仕入れた竹を炭化したフィラメントで、白熱電球の長時間点灯に成功。こうして、ついに白熱電球が実用化されたんだ。

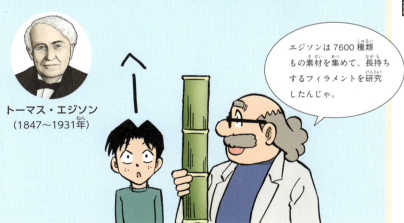

トーマス・エジソン
（1847〜1931年）

エジソンは7600種類もの素材を集めて、長持ちするフィラメントを研究したんじゃ。

75 Re
レニウム

1925年にノダック、タッケ、ベルクという3人のドイツ人化学者が発見した元素じゃ。元素名は、タッケの故郷に流れるライン川のラテン語名"Rhenus"に由来しておるぞ。レニウムは、レアメタルの中でも特に生産量が少ない金属じゃ。『ニッケル・レニウム合金』は、耐熱性が求められるジェットエンジンの材料などに使われておるぞ。

76 Os
オスミウム

1803年にイギリスの化学者テナントによって、次のイリジウムとともに発見された元素だよ。加熱すると、独特な強いにおいを発することから、元素名はギリシア語で『におい』を意味する言葉にちなんでいるよ。合金として利用されることが多く、イリジウムとの合金は硬くてじょうぶだから万年筆のペン先に用いられているよ。

77 Ir
イリジウム

テナントが、前のオスミウムとともに発見した元素だよ。テナントが実験をした時に、この元素の化合物の色がさまざまに変化したことから、ギリシア神話の虹の女神"Iris"にちなんで名づけられたんだ。レアメタルの仲間だよ。

イリジウムは酸などにも溶けない、腐蝕に対する抵抗力がもっとも強い金属なのじゃ。その反面、加工が困難だから、ほかの金属に混ぜて合金として利用されることが多いぞ。白金（→124ページ）とイリジウムの合金はとても硬いので、キログラム原器などの材料として使われておるのじゃ。

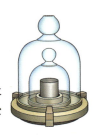

キログラム原器は、『1キログラム』という重さの基準になる、おもりのようなものよ。基準となるものが変化しては役に立たないから、じょうぶな合金でつくられているの。

123

78 Pt
はっきん
白金

白金を使った製品で今も残る最古のものは、フランスのルーブル美術館に所蔵されておる『テーベの小箱』じゃ。これは、エジプトのテーベにある女性神官シュペヌペットの墓から出土した小箱で、紀元前720年から紀元前659年ころのものとされておる。10世紀ごろには、南アメリカでも装身具として白金が利用されていたそうじゃ。

スペインの探検家ウジョーアは、1736年から1744年まで南アメリカに滞在した際、コロンビアのピント川沿いで金とともに"未知の金属"を発見した。この金属が、実は昔からエジプトなどで使われてきた白金だったんだ。白金は、見た目が銀に似ている。このためスペイン人たちは"未知の金属"を『ピント川の小さな銀 "Platina del Pinto"』と呼び、これが元素名になったんだ。

白金には、性質がよく似ている五つの元素があるの。それが、これまでに紹介してきたルテニウム、ロジウム、パラジウム、オスミウム、イリジウムよ。
白金を含めた六つの元素は『白金族元素』と呼ばれ、そのどれもが硬くて、酸などの腐蝕に強く、重い、という共通の特徴をもっているわ。

水素と酸素が化学反応を起こすと水になる。そこに白金を置くと、白金自身は変化しないのに、水素と酸素から水ができる反応速度が上がるのじゃ。このように自身は変化せず、化学反応の速度を上げるはたらきをする物質を『触媒』と呼ぶぞ。白金はすぐれた触媒なので、自動車の排ガスをきれいにする触媒として利用されておるのじゃ。

白金は細かな加工に適しているから、高級アクセサリーなどに使われることも多いわ。美しい光沢があって、酸などの腐蝕にも強いから、輝きが長持ちするの。産出量がとても少ないから、希少価値も高いわね。ちなみに、手に入れるのが難しいコンサートチケットなどを、希少価値の高い白金になぞらえて『プラチナチケット』と呼んだりするのよ。

79 Au
きん
金

紀元前3000年ごろ、古代文明発祥の地メソポタミアでは金の兜がつくられていたそうじゃ。このように、金は古くから人類に利用されてきた金属じゃから、発見者を特定することは不可能なんじゃよ。元素記号の"Au"は、ラテン語で『光り輝くもの』を意味する"Aurum"からきたものなのじゃ。

金は砂金として、金のまま自然からとれることもあるの。不変の美しさと希少性から、古くからお金として使われてきたわ。金は軟らかく、よく延びる金属なので、糸状に延ばした『金糸』にして和服を織るのに使ったり、薄く延ばして『金箔』にするほか、金歯の材料としても使っているわね。

金は電気を通しやすいため、スマートフォンの電子部品にも使われているよ。スマホ一台の金の量はわずかだけど、廃棄物となった大量のスマホから金をリサイクルすることを考えると、日本は資源大国と言えるんだ。金などの金属を回収するため、日本では小型家電リサイクル法が施行されているよ。

126

いろいろな「金色」〜カラーゴールド

「金は何色？」と聞かれたら、「そんなの『金色』に決まってる」と多くの人が答えるだろう。しかし、世の中に流通している「金」には、実はさまざまな色合いがある。それは、純粋な金は軟らかく変形しやすいので、強度を増すために、ほかの金属と混ぜ合わせた合金として使われることが多いからだ。合金にした金は、混ぜ合わせた金属の種類によってさまざまな色合いに変化する。これらをまとめて「カラーゴールド」と呼ぶよ。

[おもなカラーゴールドとその成分]

名前	混ぜ合わせる金属
イエローゴールド	銀と銅（ほぼ同量）
グリーンゴールド	銀
ピンクゴールド	銅と銀（銅が多い）
レッドゴールド	銅
パープルゴールド	アルミニウム
ホワイトゴールド	ニッケルやパラジウムなど

80 Hg
すいぎん
水銀

水銀もまた古くから利用されてきた金属で、紀元前2000年ごろには中国ですでに利用されていたそうじゃ。水銀は、常温で液体となる唯一の金属として知られておる。だから元素記号"Hg"は、ラテン語で『水』と『銀』を意味する言葉を合成した"Hydrargyrum"という言葉に由来しておるのじゃ。

水は水滴としてガラスにくっつくけど、水銀は、水と同じ液体ではあってもガラスにはくっつかないの。だから、ガラスの上に水銀をたらすと、ガラスにはじかれた水銀は、まるで生き物のように動き回るのよ。ガラスにつかない性質をいかして、水銀は温度計や体温計に利用されることが多いわ。

ほかにも鉛（→131ページ）などとの合金が鏡の反射膜に利用されていたほか、乾電池や水銀灯など身近なものに利用されてきたよ。また、殺菌作用があるので、消毒薬や農薬などにも利用されていたんだ。でも、水銀は有毒で人体に悪影響を及ぼすので、現在は、これらの無水銀化が進められているよ。

水銀がもたらした「水俣病」

　水俣病は、日本で発生した「四大公害病」の一つだ。1956年ごろ、熊本県水俣市付近で発生したため、その地名をとって「水俣病」と呼ばれている。
　その原因になった物質は、水銀の化合物「メチル水銀」だ。メチル水銀は人体に有害な物質だが、「海に流れれば、どんな毒物でも薄まるだろう」という安易な考えで、工場から川や海に大量に排出された。しかし、魚介類を通してヒトの体内に蓄積され、言語障害や運動障害などを引き起こし、多くの人びとが苦しむことになった。
　公害病の根底には、お金もうけを優先し、生態系の保全や人びとの健康を後回しにしたことがある。しかし、そのような考えを改め、環境破壊をしない持続可能な開発へと全世界が変わっていく必要がある。そのための海外支援を強化することが、今や環境先進国となった日本の務めといえるだろう。

[日本の四大公害病]

新潟県阿賀野川流域
新潟水俣病
1960年ごろ〜
原因：メチル水銀

富山県神通川流域
イタイイタイ病
1910年ごろ〜
1970年ごろ
原因：カドミウム

熊本県水俣市
水俣病
1956年ごろ〜
原因：メチル水銀

三重県四日市市
四日市ぜんそく
1960年ごろ〜
1972年ごろ
原因：亜硫酸ガス

81 Tl
タリウム

物質が光を発光、または吸収する際の光の色を調べて、その物質に含まれる元素の種類や量を調べる方法を『分光分析』と呼ぶぞ。この方法によってルビジウムやセシウムが発見されたのじゃが、このタリウムも、1861年にイギリスの化学者クルックスが分光分析によって発見したものじゃ。

クルックスは、硫酸工場の残留物から元素のテルルをとり出そうとして分光分析を行ったらしいわ。でも、テルルによる黄色い光は確認できず、代わりに未知の元素による鮮やかな緑色の光を発見したの。元素名のタリウムは、ギリシア語で『緑の小枝』を意味する言葉にちなんでいるのよ。

金属元素のタリウムと水銀で合金をつくると、マイナス60℃まで液体の状態を保つことができるようになることから、寒冷地での気温を計る温度計に利用されているよ。また、タリウムは毒性の強い元素としても知られ、ネズミ駆除の薬剤などに用いられているんだ。

82 Pb
鉛 (なまり)

鉛もまた、古くから人類に利用されてきた金属じゃ。酸やアルカリに強く、軟らかくて加工しやすいので、古代ローマでは水道管や、ワインを飲むジョッキの材料として使われておったそうじゃ。元素記号の"Pb"は、鉛を意味するラテン語の"Plumbum"に由来しておるが、その語源は不明なのじゃよ。

日本でも水道管には鉛管が使われていたほか、電子部品などを固定する『ハンダ』にも鉛の合金が用いられていたんだ。重い金属であることをいかして、釣りのおもりや散弾銃の銃弾としても使われているよ。また、鉛は放射線などを吸収するはたらきがあるので、原子炉などの壁にも用いられているよ。

SCIENCE CONAN ● 元素の不思議

鉛には毒性があるため、現在はあまり使われないようになってきているの。鉛でつくった水道管も日本では1995年に禁止されたから、新しい水道管に使われることはないわ。また、車などの燃料も昔は有鉛ガソリンが主流だったけど、日本では飛行機用を除き、1987年に完全無鉛化が達成されたわ。

131

自動車のバッテリー

　乾電池のように一回使い切りでなく、くり返し充電して使える電池を「2次電池」という。その代表が、自動車のエンジンをかけるためなどに使われる通称「バッテリー」、正しくは「鉛蓄電池」と呼ばれるものだ。
　この鉛蓄電池は、1859年にフランスの物理学者プランテによって発明された。その仕組みは、希硫酸という液体に浸すと電子を放出する鉛の科学的な性質を利用したもので、一つの鉛蓄電池（1セル）で約2Vの電気をとり出せるよ。
　自動車のエンジンをかけるためには1セルでは電気が足りないので、通常は6セル（12V）のバッテリーが、エンジンルームに積まれている。最近は、電気自動車や燃料電池自動車などの開発が進んでいるけれど、従来型の自動車では、今でも鉛蓄電池が必要不可欠なんだ。

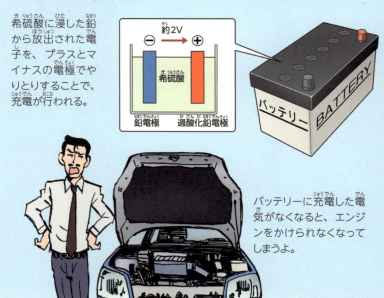

希硫酸に浸した鉛から放出された電子を、プラスとマイナスの電極でやりとりすることで、充電が行われる。

バッテリーに充電した電気がなくなると、エンジンをかけられなくなってしまうよ。

₈₃Bi ビスマス

この金属は15世紀ごろから活字用の合金（※）などに使われていたけれど、鉛などと混同されることが多かったの。それを1753年にフランスの薬学者ジョフロアが調べて、鉛とはちがうことを明らかにしたのよ。元素記号 "Bi" は、『溶ける』を意味するラテン語 "Bisemutum" に由来。世界で無鉛化が進む中、鉛の代替金属として期待されているわ。

₈₄Po ポロニウム

1898年にピエールとマリーのキュリー夫妻が発見したよ。夫妻がウラン鉱石を測定したところ、ウランの含有量から予測される放射線より4倍もの線量が検出されたことから、未知の放射性元素が含まれていると考えて調査したんだ。元素名はマリーの祖国ポーランドにちなんでいるよ。強い放射線を発するため、とても危険な元素なんだ。

※『活字』は、はんこのように、金属に字の形を刻んだもの。組み並べて、『活版印刷』に使用する。

85 At
アスタチン

人工元素としてテクネチウムをはじめてつくった物理学者セグレが、マッケンジー、コルソンとともにアメリカのカリフォルニア大学で1940年に発見した放射性元素じゃ。セグレたちは人工的にアスタチンをつくることに成功したのじゃが、そもそもこの元素は自然界にはほぼ存在しないのじゃよ。

放射能をもつ元素は、時間が経つにつれて原子核がこわれ、ほかの元素に変化していくんだ。もとの原子核の半分がこわれてしまうのにかかる時間のことを『半減期』(→106ページ）と呼んでいるよ。原子力発電所の燃料に使われている『ウラン238』という放射性物質の半減期は何と45億年だよ！

一方、この元素は半減期がとても短いの。『アスタチン210』という物質の場合は、8.1時間で半減するわ。このように元素が不安定で、どんどんこわれてしまうことから、『不安定』を意味するギリシア語の"Astatos"から名づけられたのよ。半減期が短いから、今のところ研究以外に使い道はないわ。

86 Rn ラドン

ポロニウムを発見したキュリー夫妻は、ラジウム（→137ページ）に接した空気が放射能をもつことを発見しておったが、その原因は不明じゃった。そして1900年になり、ドイツの化学者ドルンが、その原因は未知の放射性元素であることを発見したのじゃよ。元素名は、ラジウムにちなんでおるのじゃ。

ラドンは希ガスで、常温だと気体だけど、水に溶ける性質があるの。日本には全国に天然温泉があるけれど、ラドンがお湯に溶けている温泉を特に『放射能泉』と呼ぶのよ。一般的には『ラドン温泉』と呼ばれて、神経痛や筋肉痛のほか、特に痛風や動脈硬化症などに効果があるとされているわ。

日本を代表するラドン温泉

- 鳥取県　三朝温泉
- 鳥取県　関金温泉
- 新潟県　五頭温泉郷
- 秋田県　玉川温泉
- 山梨県　増富温泉

87 Fr
フランシウム

1870年ごろ、化学者たちは原子番号87番の位置にアルカリ金属の元素が入るだろうことを予見した。そして、さまざまな研究がなされたが、この未知の元素が発見されたのは1939年のことじゃった。発見者は、キュリー夫妻の助手をつとめた経歴をもつフランスの物理学者ペレーという女性じゃ。

元素名は、ペレーの祖国にちなんだものよ。フランスの国名にちなんだ元素名は、ガリウムに次いで、これで二つ目ね。フランシウムは、自然界で発見された最後の元素なの。フランシウムよりあとに発見された元素は、すべて人工的に合成されたものなのよ。

フランシウムは、自然に産出する元素の中でもっとも不安定な元素だよ。半減期がもっとも長い『フランシウム223』という物質でも22分で半減してしまうため、研究目的以外の使い道は今のところないんだ。ちなみに、フランシウムはこわれるとアスタチンやラジウム、ラドンに変化するよ。

88Ra ラジウム

1898年7月にウラン鉱石からポロニウムを発見したキュリー夫妻が、同じ鉱石から発見した別の新元素を発表したのは、同年12月のことじゃった。この元素は、夜になると暗闇の中で光っていたことから、ラテン語で『光線』を意味する"Radius"にちなんで、ラジウムと名づけられたのじゃ。

ラジウムは、ラドンなどと同じ放射性元素よ。放射性の元素がこわれて別の元素に変化する性質（能力）のことを『放射能』と名づけたのもキュリー夫妻なの。放射性元素がこわれる時にはアルファ線などの放射線が放たれるのだけど、放射線を多量に浴びることは人体にとって危険なことなのよ。

キュリー夫妻が研究を行っていた当時はまだ、放射線の危険性が知られていなかったんだ。66歳で亡くなったマリー夫人の死因は、長年の放射線被ばくによる悪性貧血だと考えられているよ。かつては時計の文字盤の夜光塗料などとして利用されていたラジウムだけど、現在の工業的用途はほぼゼロなんだ。

SCIENCE CONAN ●元素の不思議

137

アクチノイド系の周期表

原子番号89番から103番までの15元素はよく似た化学的性質をもち、「アクチノイド元素」と呼ばれているよ。

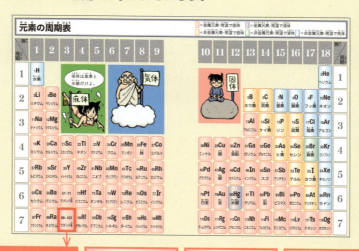

| 89～103 アクチノイド系 | 89 Ac アクチニウム | 90 Th トリウム | 91 Pa プロトアクチニウム |

| 96 Cm キュリウム | 97 Bk バークリウム | 98 Cf カリホルニウム | 99 Es アインスタイニウム |

アクチノイド元素は、すべて放射性元素だよ。アクチノイド元素の中でも、ウランは自然界に存在している量が特に多いんだ。
ウランより重い、93番ネプツニウム以降の元素は『超ウラン元素』とも呼ばれ、ほぼ自然界には存在しない。このため、ウランより軽い元素と比べて、化学的性質がまだ明らかになっていない部分が多いんだ。

92U	93Np	94Pu	95Am
ウラン	ネプツニウム	プルトニウム	アメリシウム

100Fm	101Md	102No	103Lr
フェルミウム	メンデレビウム	ノーベリウム	ローレンシウム

89Ac アクチニウム

フランスの化学者ドビエルヌが、1899年にウラン鉱石から発見した放射性元素じゃ。銀白色の金属じゃが、暗い所では青白く光るので、『放射線』や『光線』を意味するギリシア語"Aktis"から名づけられたぞ。
アクチニウムからローレンシウム（→149ページ）までの元素は、まとめて『アクチノイド』と呼ばれておる。

90Th トリウム

セレンの発見など、元素の研究に多大な功績を残した化学者ベルセリウスが1828年に鉱石から発見した放射性元素よ。
元素名は北欧神話の雷神"Thor"にちなんでいるの。
ウラン（→142ページ）に代わる核燃料として、研究が進められているわ。

91 Pa プロトアクチニウム

ドイツの化学者ハーンと、共同研究者のマイトナーが1917年に発見した放射性元素じゃ。元素名の頭についておる"Proto"には『もとの』という意味がある。これは、プロトアクチニウムがこわれると、アルファ線を放ちながらアクチニウムになることにちなんで名づけられた元素名なのじゃ。

放射線がヒトのからだに悪影響を及ぼすことは、もう知ってるよね？このプロトアクチニウムも強い放射性と、強い毒性をもち、プルトニウム（→144ページ）と同じくらい強い発がん性をもつんだ。だから現在のところ、この元素はほぼ利用されていないんだよ。

右のマークは『放射線標識』というものじゃ。放射性元素の原子核から、放射線が飛び出す様子をデザインしたものなのじゃよ。放射線が発生する場所――例えば病院のレントゲン撮影室などに、注意をうながすために掲示されておるぞ。

SCIENCE CONAN ●元素の不思議

141

92U
ウラン

ウランの酸化物『酸化ウラン』は、1世紀ごろよりガラスの着色剤として使われておった。元素としてのウランは、ジルコニウムを発見したクラプロートが1789年に発見したぞ。元素名は、イギリスの天文学者ハーシェルが1781年に発見した天王星"Uranus"にちなんでおるのじゃ。

ウランは、原子力発電で核燃料として利用されている放射性元素よ。ウラン鉱石が放射線を発していることを発見したのはフランスの化学者ベクレルで、1896年のことだったわ。その2年後には、キュリー夫妻がウランを含む鉱石からポロニウムとラジウムをとり出すことに成功しているわね。

原子番号1番から92番までの元素は、テクネチウムなど4つの元素を除き、比較的多く自然界に存在しているよ。でも、93番以降の元素は、基本的には人工的につくり出さなければならない。それらの元素は、92番のウランより重い元素という意味で『超ウラン元素』と呼ばれているよ。

93 Np
ネプツニウム

ネプツニウムは、人工的につくられた最初の超ウラン元素じゃ。1940年に、アメリカの化学者マクミランと物理学者アベルソンが『サイクロトロン』という実験装置を使って、ウランを含む物質からつくり出すことに成功したぞ。元素名は、1846年に発見された海王星"Neptune"にちなんでおるのじゃ。

アメリカで1940年に発見されたネプツニウムだけど、実は同じ年に日本の理化学研究所でもウランを含む物質の研究が行われていて、アメリカよりも先に、この新元素の存在を確認していたの。残念ながら、単独の物質としてとり出すことができなかったから、発見したとは認められなかったけどね。

第二次世界大戦中、日本ではネプツニウムを独自に発見していた。でも、その科学技術は核兵器開発につながるとされ、敗戦国の日本は実験機器を破壊処理しなければならなかったんd。このため日本は元素発見の最前線から遠ざかり、ニホニウム（→155ページ）の発見まで60年近くを要したよ。

SCIENCE CONAN ● 元素の不思議

94 Pu
プルトニウム

プルトニウムは核兵器にも使われる放射性元素で、日本では法律によってとり扱いや輸出入が規制されているわ。発見したのは、アメリカの化学者シーボーグたちで、1941年のこと。天体の名前にちなんだウラン、ネプツニウムの次にくる元素なので、元素名は冥王星"Pluto"にちなんでいるのよ。

第二次世界大戦中、アメリカとイギリス、カナダは敵国ドイツが先に核兵器をもつことを恐れた。そこで『マンハッタン計画』を立案し、原子爆弾を開発するために科学者を総動員したんじゃ。完成した原子爆弾は1945年8月6日に日本の広島、8月9日に長崎に投下されてしまったのじゃよ。

広島の原爆にはウラン、長崎の原爆にはプルトニウムが使用され、ともに大きな被害をもたらした。でも、プルトニウムの使い道は核兵器だけじゃない。プルトニウムの巨大なエネルギーから、電気エネルギーを長期にわたって得られる原子力電池が開発され、宇宙探査機の電源に利用されているんだ。

144

核燃料のリサイクル

　日本の原子力発電所では、ウランを燃料とする「軽水炉」が多く使われている。しかし天然のウランは埋蔵量が限られているため、使用済み燃料を再利用する試みが続けられているよ。

高速増殖炉

　軽水炉でウランを燃やすと、プルトニウムと燃え残りのウラン238などが発生する。これらを高速増殖炉に入れ、再び燃やすと、ウラン238がプルトニウムに変化して、最初に入れたプルトニウムより多くのプルトニウムがとり出せるよ。でも、日本は何十年もこの技術の開発にとり組んできたけれど、いまだに完成していないんだ。

プルサーマル発電

　そこで考え出されたのが、プルトニウムと二酸化ウランを混ぜたMOX燃料を、再び軽水炉で燃やす方法だ。この方法は「プルサーマル発電」と呼ばれ、日本では愛媛県の伊方原発3号機などで採用されているよ。

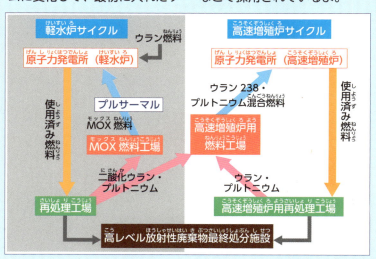

95 Am アメリシウム

プルトニウムを発見したシーボーグたちが、1944年に発見した元素じゃ。周期表ではヨーロッパ大陸にちなんだユウロピウムの下に位置することから、アメリカ大陸にちなんだ元素名となったぞ。海外では煙感知器に利用されておるが、放射性元素ということもあり、日本では光の乱反射を利用して煙を検知する感知器が主流となっておる。

96 Cm キュリウム

この元素も、アメリカのシーボーグたちが1944年に発見した元素よ。はじめはプルトニウムを含む物質からつくられたのだけど、アメリシウムが発見されてからは、アメリシウムからもつくられるようになったわ。元素名はキュリー夫妻にちなんでいるの。プルトニウムと同じように、原子力電池に用いられることがあるわ。

97 Bk バークリウム

これもシーボーグたちが1949年に発見した元素だよ。彼らが発見したアメリシウムを含む物質に『アルファ粒子』というものを当てて、つくり出すことに成功したんだ。元素名は、実験が行われたカリフォルニア大学バークレー校の所在地、バークレーにちなんだものだよ。バークリウムは、今のところ研究目的以外の使い道はないんだ。

98 Cf カリホルニウム

これもシーボーグたちが発見した元素じゃ。1949年、彼らはキュリウムを含む物質に『アルファ粒子』を当てて、カリホルニウムをつくり出すことに成功したぞ。元素名は、バークリウムと同じく、カリフォルニア大学の所在地と大学名にちなんでおる。カリホルニウムは非常に高価なので、研究など限られた目的にしか使われておらんのじゃ。

99 Es アインスタイニウム

『水素爆弾』は、ウランなどを用いた原子爆弾より数十倍から数百倍も破壊力がある核兵器だよ。アメリカは1952年に世界初の水爆実験を行い、その時の放射線を帯びた灰の中から発見されたのが、この元素なんだ。発見したのはカリフォルニア大学のギオルソやシーボーグたちで、元素名は物理学者のアインシュタインにちなんでいるよ。

100 Fm フェルミウム

1952年に行われた水爆実験の灰の中から、ギオルソやシーボーグが発見したもう一つの元素が、このフェルミウムよ。元素名は、1942年にアメリカのシカゴ大学で世界初の原子炉をつくった物理学者フェルミに由来しているの。フェルミウムは今のところ、研究目的にしか使われていないわ。

148

101 Md メンデレビウム

この元素は、シーボーグたちが1955年にアインスタイニウムを含む物質からつくり出したものじゃ。元素名は、周期表を考えたメンデレエフにちなんでおるぞ。今のところ、研究目的にしか使われておらんのじゃ。

102 No ノーベリウム

複数の研究者が発見したことを主張したけれど、現在ではこの元素もまた、シーボーグたちが1958年に発見したものとされている。元素名は、ダイナマイトを発明したスウェーデンの化学者ノーベルにちなんでいるよ。

103 Lr ローレンシウム

1961年にギオルソたちによって、カリホルニウムとホウ素からつくられた元素よ。元素名は、新元素をつくるための『サイクロトロン』という実験機器をつくったアメリカの物理学者ローレンスに由来しているの。

104 Rf ラザホージウム

1969年にギオルソたちが、カリホルニウムと炭素を合わせてつくった元素じゃ。元素名は、ニュージーランド出身の物理学者ラザフォードの名にちなんだものじゃ。ラザフォードは放射線の『アルファ線』と『ベータ線』を発見したほか、原子の中心に原子核があることを突き止めた功績などにより、『原子物理学の父』と呼ばれておるぞ。

105 Db ドブニウム

新元素の発見は、常に激しい競争のもとで行われていた。このドブニウムも、アメリカとロシアの研究チームが命名権を争った元素だよ。アメリカではギオルソたちが1970年に発見し、ソビエト連邦（現ロシア）ではドブナ研究所で1968～1970年にかけて発見されていた。結局、元素名はドブナ研究所の所在地にちなむことになったんだ。

106 Sg
シーボーギウム

この元素もまた、1974年にギオルソたちが
カリホルニウムと酸素を合わせてつくった
ものじゃ。同じ年にドブナ研究所も、
この新元素を発見したと主張したのじゃが、
今回はアメリカ側の意見が通った。
そして、カリフォルニア大学でいくつもの
新元素を発見したシーボーグをたたえ、
彼の名にちなんだ元素名となったのじゃ。

107 Bh
ボーリウム

1981年、ドイツの重イオン研究所で
ビスマスとクロムを合わせてつくられた元素
よ。半減期が数秒しかなく、すぐに変化する
ため、詳しい性質はまだ分かっていないの。
元素名は、原子核のまわりの軌道上に
電子がある『原子構造模型』を提案して、
化学に大きな貢献をしたデンマーク出身の
物理学者ボーアの名前にちなんだものよ。

108 Hs ハッシウム

ボーリウムの発見者でもある、重イオン研究所の物理学者アルムブルスターとミュンツェンベルクが、1984年に鉛と鉄を合わせてつくった元素だよ。元素名は、研究所があるドイツのヘッセン州のラテン語名"Hassia"にちなんでいるんだ。この元素も、今のところ研究にしか使われていないよ。

109 Mt マイトネリウム

この元素も、重イオン研究所のアルムブルスターとミュンツェンベルクが1982年、ビスマスと鉄を合わせてつくったものじゃ。元素名は、化学者ハーンとともにプロトアクチニウムを発見し、ウランの核分裂に関する論文をはじめて発表した物理学者マイトナーに由来しておる。半減期が短いため、詳しい性質はまだ不明なのじゃ。

110 Ds ダームスタチウム

重イオン研究所のアルムブルスターとホフマンたちが、1994年に鉛とニッケルを合わせてつくった元素じゃ。元素名は、重イオン研究所があるドイツのダルムシュタット市からつけられたぞ。この元素もまた半減期が短いため、詳しい性質はまだ不明なのじゃよ。

111 Rg レントゲニウム

1994年12月8日に、重イオン研究所のアルムブルスターとホフマンたちがニッケルとビスマスを合わせてつくった元素よ。ドイツの物理学者レントゲンが『エックス線』を発見したのが1895年11月8日。その日からおよそ100年目の2004年に、この元素の名前が正式に彼の名前にちなんでレントゲニウムと名づけられたの。

SCIENCE CONAN ● 元素の不思議

112 Cn
コペルニシウム

1996年に重イオン研究所のホフマンたちが、鉛と亜鉛を合わせてつくった元素じゃ。
元素名は、16世紀の天文学者コペルニクスにちなんでおるぞ。コペルニクスは、人びとが『地球のまわりを太陽などの天体が回っている』と信じておった昔、幾度もの天体観測により『地球が太陽のまわりを回っている』ことを発見した偉大な学者なのじゃ。

天然元素と人工元素

元素には、自然界にもとから存在している「天然元素」と、加速器や原子炉といった装置を使って人工的につくり出した「人工元素」がある。
原子番号93番のネプツニウム以降の元素は、すべて人工元素だ。また、92番以前の元素でも、43番のテクネチウム、61番のプロメチウム、85番のアスタチンは天然での存在が少ない元素なので、人工的につくったんだよ。

92番以前でも、人工的につくった元素があるよ。

154

113 Nh
ニホニウム

2004年9月28日に理化学研究所は、森田浩介博士たちの研究グループがビスマスと亜鉛を合わせて113番元素をつくることに成功したと発表した。翌年、2個目の合成に成功したため命名権を申請したけれど、この時はまだ確実に発見したとは認められず、認定が見送られてしまったんだ。

その当時、ロシアのドブナ研究所やアメリカの研究チームも、113番元素の命名権を争っておった。一方、理化学研究所は2012年にも命名権を申請し、その際、3個目の合成に成功したことを発表。合成した原子核が113番元素だということを証明したのじゃ。

この3個目の合成に成功していなかったら、ロシアとアメリカのどちらかが命名権を得ていた可能性が高かったわね。2015年末に正式な命名権が日本に与えられ、2016年11月30日には元素名が『ニホニウム』と決定したわ。これによって日本は、アジアではじめて元素を発見した国になったのよ。

なぜ「ニッポニウム」ではなく「ニホニウム」なの？

113番元素「ニホニウム」は日本の国名に由来する名前だけれど、どうして「ニッポニウム」としなかったのだろう？

元素命名のルールは、国際純正・応用化学連合（IUPAC）によって定められている。その内容は「神話の構想または人物（天体も含む）」、「鉱物または類似物質」、「場所または地理的領域」、「元素の性質」、「科学者」のどれかに由来し、末尾に「-ium」をつけるというもの。さらに「正式でなくとも、一度つけられた名前は混乱を避けるため使えない」というルールもある。

実は「ニッポニウム」という名前は、1908年に日本人の化学者・小川正孝が43番元素を発見したと発表した時に使われていた。小川の発見は、のちに誤りだったことが判明し、「ニッポニウム」はとり消された。しかし、IUPACのルールに従って、のちに発見された113番元素には採用できなかったんだ。

ちなみに、小川の発見は完全な誤りではなかった。小川が発見したのは43番元素ではなく、1925年にレニウムと名づけられた75番元素だったことが、のちに明らかになったんだ。

［いろいろあった113番元素の名前の候補］

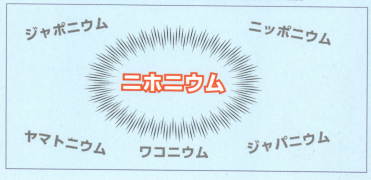

114 Fl
フレロビウム

1998年にロシアのドブナ研究所が、プルトニウムとカルシウムを合わせてつくることに成功したよ。けれど、再確認できないうち、アメリカやドイツでも実験に成功したという報告が出されたんだ。結局、ドブナ研究所が設立者フリョロフの名前にちなんだ元素名を提案し、2012年5月30日に『フレロビウム』と正式に決定されたよ。

115 Mc
モスコビウム

2004年に、ロシアのドブナ研究所とアメリカのローレンス・リバモア国立研究所の共同研究チームが、カルシウムとアメリシウムからつくり出すことに成功した元素じゃ。2015年に発見が正式に認められたぞ。元素名はドブナ研究所の所在地であるモスクワ州にちなんで『モスコビウム』とされたのじゃ。

116 Lv リバモリウム

この元素も、ドブナ研究所とローレンス・リバモア国立研究所のチームが、2000年にキュリウムとカルシウムからつくり出したものよ。実は115番元素がモスコビウムと命名される以前、ロシアは116番元素にモスクワ州にちなんだ名前をつけようとしていたの。でもこの時は、アメリカ側の研究所の名称にちなんだ元素名が採用されたのよ。

117 Ts テネシン

ドブナ研究所とローレンス・リバモア国立研究所、オークリッジ国立研究所のチームが、2009年にバークリウムとカルシウムからつくった元素だよ。2016年6月8日に決定された元素名は、オークリッジ国立研究所をはじめ、テネシー大学、ヴァンダービルド大学などの研究機関が集まる、アメリカのテネシー州にちなんでいるんだ。

158

118 Og オガネソン

発見済みの元素の中で、一番重い元素がこれじゃ。2002年にドブナ研究所がカリホルニウムとカルシウムから合成し、2006年にはローレンス・リバモア国立研究所との共同研究でも再びつくることに成功したのじゃ。2016年6月8日に決定された元素名は、ドブナ研究所のリーダー的研究者オガネシアンの名にちなんでおるぞ。

どれだけ重い元素がつくれるか？

原子番号118番のオガネソンまでつくられたことにより、周期表の第7周期まではすべて埋まった。以降は、人類未踏の第8周期、第9周期の元素の存在を探していくことになる。ノーベル物理学賞を受賞したアメリカの物理学者ファインマンは、137番元素が限界だと説明しているよ。

でも、180番程度まで可能だ、という考え方もあるんだ。

この本を読んだみんなの中から、この謎を解明する科学者が生まれるかもしれないね。

SCIENCE CONAN ● 元素の不思議

staff

- ■原作／青山剛昌
- ■構成／新村徳之（DAN）
- ■監修／川村康文（東京理科大学教授）
- ■イラスト／金井正幸・加藤貴夫
- ■ＤＴＰ／株式会社昭和ブライト
- ■デザイン／竹歳明弘（STUDIO BEAT）、山岡文絵
- ■校閲／目原小百合
- ■編集協力／田端広英

- ■制作／望月公栄
- ■制作企画／長島顕治
- ■資材／浦城朋子
- ■宣伝／阿部慶輔
- ■販売／藤河秀雄
- ■編集／藤田健彦

小学館学習まんがシリーズ

名探偵コナン実験・観察ファイル

サイエンスコナン
元素の不思議

2017 年 7 月 19 日　初版第 1 刷発行

発行人　杉本隆
発行所　株式会社　小学館
〒 101-8001
　　　　　　　東京都千代田区一ツ橋 2-3-1
　　　　　　　電話　編集／ 03(3230)5400
　　　　　　　　　　販売／ 03(5281)3555
印刷所　図書印刷株式会社
製本所　共同製本株式会社
© 青山剛昌・小学館　2017　Printed in Japan.
ISBN 978-4-09-296634-5　Shogakukan,Inc.
●定価はカバーに表示してあります。
●造本には十分注意しておりますが、印刷、製本など製造上の不備がございましたら「制作局コールセンター」(☎0120-336-340)にご連絡ください。（電話受付は、土・日・祝休日を除く 9：30 ～ 17：30）
●本書の無断での複写（コピー）、上演、放送等の二次利用、翻案等は、著作権法上の例外を除き禁じられています。
●本書の電子データ化などの無断複製は著作権法上の例外を除き禁じられています。代行業者等の第三者による本書の電子的複製も認められておりません。